男が「本当に考えていること」を知る方法

ぐっどうぃる博士

三笠書房

プロローグ――恋愛で幸せになる「スキル」が身につく本

僕はこれまでいろいろな本に出会ってきた。そして、どうやら本には出会うべき時期があるということに気がついた。そうでない時期に読んでしまうと、文章の意味は消え、ただ文字が羅列しているだけになってしまうのだ。そして、いつかその本に出会うべき時期がきたとき、読む気がしなくなってしまう。

つまり、「この本は読んだことがあるから、もう読まなくていい」となってしまう。

たとえば、もし、あなたがまだ若いのなら「老後の幸せな過ごし方」という本を読んでもピンとこない。まだその本と出会うには早すぎるのだ。でも一度読んでしまうと、「老後の幸せな過ごし方」は「読んだことのある本」というカテゴリーに入ってしまい、二度と手にとらないかもしれない。

そこで、**この本を手にとったら、まず目次を開いて自分に関係しそうな項目を見つ**

け、読んでみてほしい。

ピンとこなかったら、今はこの本を読むべき時期ではない。

一方、もし興味のあるページが見つかり、読んで目から鱗《うろこ》が落ちたら、この本のどの章もあなたを助けるだろう。

恋愛で苦しんでいる女性は多い。

付き合う前は、

- 大好きになった彼をどうしても手に入れたい。でも、ぜんぜん脈がない。
- イイ線までいっていたはずなのに、あるところで突然距離を置かれてしまった。
- 体の関係はあるのに「僕は人を愛することができない」などと言われ、付き合ってもらえない。

また、付き合っているときは、

- 以前の彼はすごくテンションが高かったのに、今は連絡さえほとんどくれない。
- すごく束縛するくせに、自分は信じられないほど身勝手なことばかりしている。
- 突然「一人になりたくなった」と言われ、距離を置かれてしまった。いくらメールや電話をしても返事が来ない。

さらに、別れた後、
❍意味不明な理由で振られてしまった。どうしたらよいかわからない。
❍復縁したい。どうしても彼を取り戻したい！　でも頑張れば頑張るほど、彼は離れていってしまう。

このような問題がひどくなると、女性たちは一日中泣いていたり、食事もできなくなったりする。体調を崩して仕事が手につかなくなったり、何もかもどうでもいいと思ってしまう人もいるようだ。そんなとき、強い不安や苦しみが彼女たちを包んでいる。

はるか昔の話になるが、僕は大失恋をした。そのとき、同様の強い不安や苦しみが僕を包み込んでいた。その苦しみから逃れたい一心で、僕は手当たり次第に女友達に相談し、恋愛の本を読みあさった。そうして僕は、偶然一冊の本に、出会うことになる。それはジョン・グレイ博士の『ベスト・パートナーになるために』（三笠書房）

だった。

そこに書いてある文章を読み進めるうちに、僕の時間は止まった。僕の行動のすべてがそこに記述されていたのだ。

僕の人生は、すべて僕の意志で選び、決めてきたと信じていたのに、ジョン・グレイという名も知らぬ男性が僕の行動をその本の中で予言していたのである。

その当時観ていた映画や自分の研究していた専門分野の知識なども手伝って、「人間は自分で人生を決めているのではない、ある決まったプログラムにそって動いているだけなのだ」と気がついた。

僕は出会うべき本に、出会うべきタイミングで出会ったのだ。

そこで僕は、自分の行動、女性の行動、この世界の成り立ちについて、とことん視点を変えて見始めた。すると、半年もしないうちに、この世界がまったく違って見えてきた。

僕は一つの結論を得た。**恋愛（もしくは人生）で苦しむ大きな原因の一つは、無知であると。**

相手を正確に知り、自分を正確に知り、この世界を正確に知れば、苦しむことはず

いぶん減るということがわかった。

これは偶然にも、お釈迦様（原始仏教）の教えにも同様のことが述べられていた。

そんなとき、あるポータルサイトで働く友人が、僕に「ブログを書かないか？」と聞いてきた。

僕は、これまでの経験、検証から自分が気づいたことを教えることで、**〝無知によって起こる恋愛の悲劇〟を減らしたい**と考え、「恋愛のスキルを教えるブログなら書いてもよい」と返事をした。そのポータルサイトは女性向けなので、恋愛相談は女性限定とした。女性を幸せにすれば、自然と男性も幸せになることを僕は知っていた。

そのような経緯でできたブログをまとめたのが、本書である。この本は、目次を見て自分が興味を持っている順に読めばよいように作ってある。もちろん、1章から順に読んでもらってもかまわない。

本書を読み進めるうちに、あなたは自分が何をするべきかが自然にわかってくると思う。そのようにして、僕が信じる**「恋愛において幸せになるスキル」**を得てもらえたら嬉しい。

そして、この本をきちんと理解したとき、あなたはこれまでと違った恋愛を味わうであろうことを私は予想する。その新しい感覚こそが、僕が読者に知ってもらいたかった感覚だ。

実はこの本には、小手先のテクニックを超えた、人生の原理原則が含まれている。恋愛をテーマとしてはいるが、最終的には「生きるとは何なのか?」「人生とは何なのか?」を考えるきっかけにもなることを期待してこの本を書いたのだ。

今まで恋愛に振り回されていたあなたは、この本を読むことで、以前よりずっと恋愛を楽しめ、運命や人生を「味わえる」ようになるだろうと信じている。

もくじ

2章 男の「心の底」を知って、愛される女になる

――男が本気になる女、恋人未満で終わる女

3章 上手な「恋の駆け引き」について
――彼の気持ちを「シミュレーション」してみる

4章

自分の感情をコントロールして彼の心を動かす

――あせらない、怒らない、感情的にならない

5章

「あきれない恋」をかなえる方法

――「復縁」の可能性を高めるには

7章 「男を見る目」を磨く方法

――幸せな恋愛は男性選びから

8章

「運命」と「縁」について知っておきたいこと

——あらゆる人間関係にあてはまる絶対ルール

本文イラストレーション　イナキヨシコ

1章

「手に入らない彼」の心をつかむ方法

——“恋愛回路”を味方につければ、恋が思ったとおりに運ぶ!

1 「好きな男」を振り向かせる6つの方法

「私、○○君を好きなんです。○○君を私に振り向かせる方法はありませんか？」と、よく相談される。そんな女性に、僕はまず言う。

「無理でしょう」と。

というのは、おそらく彼女は、その男性を手に入れるためにさまざまな努力をしてきたのだろうが、多くの場合、その努力は的はずれで、逆に相手のテンションを下げてしまっているからだ。

一度相手のテンションを下げてしまったら、もう、その相手は、ほとんど確実に手に入らないだろう。

では、あなたに気のない男性を振り向かせるのは本当に無理なのかというと、そうとも言い切れない。これから述べる六つの方法を用いることで、あなたが好きになった男性の心を手に入れる可能性は格段に高くなるだろう。それらは一つでも力を持っているが、総合的に用いれば、効果は相乗的に増すはずだ。

手に入りそうもない、いい男と付き合っている女性たちは、これら六つの方法のうちの一つ、あるいは複数を、知ってか知らずか使っていることが多いと僕は考えている。

1 まずは「外見」を磨いてキレイになる

男性にとって、女性の見た目は極めて重要である。

男性の本能は女性の美しさに簡単にとらわれる。外見のキレイさだけで、心の中まですべて美しいと思ってしまうこともあるくらいだ。したがって、意中の男性を振り向かせるためには、自分の外見を美しく見せることは必須と言えるだろう。

好きな男性を手に入れることがあなたの人生の目的なら、美しくなるために大金をかけてエステに通う価値だってある。

僕から見て驚くことは、恋愛で悩んでいるにもかかわらず、自分の見た目に気を遣っていない女性が意外と多いということだ。太っていたらやせる。服のセンスやメイクの技術を磨くなど、思いつくことは何でもすることが大切だろう。

それに対して、「見た目ばかりを取りつくろったってしかたがないと思う。今のままの自然な私を受け入れてくれる男性を探すから放っておいて」とあなたが言うのなら、その信念を貫いてほしい。

その代わり、好きな人ができて、その人があなたを好きにならなくても、それを受け入れる覚悟が必要となる。また、あなたを好きになる男性が確実に減ることも覚悟しなくてはならない。

おとぎ話のように、いつか誰かが運命的に現われて「今のままの自然なあなた」を受け入れてくれると信じているのなら、それはやめたほうがよい。「いつか宝くじで三億円を当てる」と期待するようなものだ。

はっきり言ってしまえば、素敵な男性に愛される女性は、それ相応の努力をしているか、生まれつき外見に恵まれているということに気がつくべきだ。

また、男性が女性を好きになる過程には段階がある。**多くの男性は、最初は見た目からあなたを好きになる。**

そして、その次にあなたの人格をも愛するようになるのだ。いったん人格を愛せば、あなたの持ついくつかの欠点をも受け入れるようになるだろう。自然なあなたを理解しようとするかもしれない。

とにかく見た目を磨くことは、恋愛において必要不可欠と言えるぐらいにとても重要だ。

❋キレイな女性は、こんな〝気遣い〟をしている

ところでキレイになるには、相手と自分をよく知ることが大切だ。ターゲットになる男性がいれば、その男性にとってキレイであるように見せる。いなければ、自分が好きになるであろう男性の好みを想定して、出会ったときに備えるべきだ。

そして、**キレイな女性の共通点は、セルフ・ブランディングができていること**だと思う。

あなたは自分をイマイチと思っているかもしれないが、僕に言わせれば案外そうでもないはずだ。ほとんどの女性は、その女性独特の魅力を持っている。それに気づき、自分には何が似合うか、どこを際だたせれば魅力が増すかを意識し、上手に見せていくことが大切である。

キレイな女性とそうでない女性の差は、そうした気遣いをしているかどうかの差に

あると思う。自分を魅力的に見せる方法については、多くの女性誌で特集されているだろうから、研究してみてほしい。このようにして見た目を磨けば、あなたを好きになる男性は増え、あなたが好きな男性を振り向かせる可能性は高まるはずだ。

②「彼に気がある」ことは隠しておく

恋愛対象外の女性が自分に気があると確信した瞬間、男性の心は冷める。対象外の女性にとって、目的の彼に気があるとばれた時点で、恋愛の駆け引きは失敗だ。男性は自分に向けられたその女性のテンションに、うっとうしさや、場合によっては恐怖すら感じて引いてしまうことがある。ふと気がつけば、メールを出しても返事が来ない、食事に誘っても「忙しい」と断られるようになっているだろう。

あなたにも、そういう経験はないだろうか？　対象外のあなたが、もし彼に気があるとばれてしまった場合、後に述べる項目③や④、⑥がほとんど無意味になるだろう。あなたが相手をいくらほめても、気遣っても、彼にとってそれは、「自分を手に入れるための手段」と思われてしまうからだ。

したがって、もし今あなたがその状況にいるのなら、彼が感じている「自分に気がある」という確信を打ち消すような行動をとるべきだと思う。そして同時に、ほかの五つの方法を実践するのがよいだろう。

さらに、あなたが彼にとって恋愛対象内の女性であっても、相手に気があると確信させてはいけない。「彼女は僕に気があるのかもしれない。でも単なる気まぐれかもしれない」という距離を保つのがよい。「手に入りそうで手に入らない距離」が男性の本能を刺激するのである。

恋愛では常に「男性が女性を手に入れる」という心理的構図を作るべきだ。

3 彼の「価値観・世界観」を理解し、尊敬する

ほぼ例外のないことだが、男性は自分の世界観を認め、尊敬してほしいと思っているので、彼の価値観や考えに理解を示し、心から尊敬すること。男性は、そういう女性を理解者だと思い込む。

ただし、ただ「すご～い！」などと表面的に驚いているだけでは意味がないし、とんちんかんなところをほめたり感心したりしても、しかたがない。**相手が言ってほし**

いことを先回りして言えるくらいに、彼の価値観に深い関心を示す必要がある。

では、どのようにして彼の価値観を知ればいいのだろう?

そこで、男性の価値観の簡単な見分け方に関して述べる。

まず、彼が誰かを批評したときは、よく聞いていよう。批評は、その人の価値観をそのまま表わしているからだ。

たとえば、彼がブランドものを買う人間をけなし、「どうして古着屋とかで、自分のセンスで選んだ服を買えないんだろう?」と言っていたら、それがそのまま服という話題を通して語られる彼の価値観だ。彼に、「○○君、センスいいよね。どうやって服のセンスを磨くの?」と、さらに深く聞いていけば、彼は嬉しくなり、うっとうしいほどしゃべり始めるだろう。

でも、そんな彼をうっとうしいと思ってはいけない。ここは、彼がどのような服にどのような価値観を持っているかを知るチャンスだからだ。そして、彼に対して理解と心からの尊敬を示すことにより、彼とあなたの心の距離は近づくはずだ。

たぶん、彼はいろいろな価値観を持っているだろう。服への価値観、仕事に対する価値観、恋愛観、倫理観などなど。それらは一見バラバラに見えるが、相互につながっているはずだ。彼の言動はすべて、彼の世界観に従っているからだ。

つまり、そういった価値観の一つひとつの断片をつなげていけば、最終的には彼の世界観を理解し、そこから彼の言動を矛盾なく説明できるはずだ。もし、あなたの知る彼の世界観と彼の行動との間に矛盾があるのなら、あなたは、より深く彼を知る必要があるだろう。

❋〝ほめ上手な女〟に恋の女神はほほえむ

また、一緒に飲んでいるときなどに彼がグチを言い出したら、それはチャンスだ。グチはまず黙って聞こう。そして、それが仕事上のグチならば「あなたには能力がある、上司があなたを認めないだけよ」などと、彼をほめることである。要は気持ちよくしてあげるのだ。

そして、これまで理解してきた**彼の価値観や世界観にそって彼をほめて、気持ちを満たしてあげよう。**

彼のグチがいつのまにか、彼の人生観や世界観の話になっていたら、その飲みは成功だ。彼は帰る頃にはとても嬉しくなり、あなたに好感を持っているだろう。そして別れ際には、「○○君と話すと盛り上がるね！　今日は楽しかった」とまたほめよう。

このようにして彼の世界観を理解したら、あなたに恋の女神が微笑み始めるだろう。多少の時間と手間のかかることではあるが、好きな人にだったらできるはずだ。

最後にもう一つ、**ほとんどの男性の話は、その大部分が自分の価値観の話**ということを覚えておこう。だから、いつも注意して彼の話を聞き、彼を理解し、支持者になろう。

4 相手の「劣等感」と「過去の傷」は慎重に扱う

好きになった男性を振り向かせるには、その男性の劣等感を知ることも大切だ。

劣等感は、相手と自分とを隔てる大きな壁を作っている。もし好きな人の心の壁を乗り越えられたら、あなたは本当にその人のそばにいられることになる。

劣等感は、価値観よりもずっとわかりやすい。見た目に欠点があれば、それはほとんどの場合、確実に劣等感になっているし、いろいろな人がその人を非難しているなら、まさにそのことが本人の劣等感になっている。

実は本人は、他人がどんなふうに自分を評価しているかをちゃんと知っている。ただ、ふだんは自分が傷つかないように、価値観や世界観で劣等感をしっかりと覆い、見ないようにしているだけなのだ。だから、**好きな人の劣等感がわかったら、決してその話題に触れてはいけない。**

もし、ほかの人が本人の目の前で偶然、彼の劣等感に触れるようなことを言ってしまったら、一般論として自然にそれを否定するように努めること。また本人がその話題に触れた場合、それが劣っているという考えを自然に否定しながら、彼の自信のある部分、つまり価値観をほめ、世界観を認めることが大切となる。

たとえ話をしよう。

自分の好きな人が毛深いとする。おそらく彼は毛深いことを気にしているだろう。基本的にはそれに触れないこと。そして誰かが彼の毛深さを話題にしたら、「そんなの、どうでもいいじゃない」とか「毛深い人、私好きかも」と、自然にフォローしよう。

いかにも彼をかばうように言うのではなく、自分が思っていることを自然に言う、というニュアンスが大切だ。

また、彼が「オレさぁ毛深いからさ、あまりモテないんだよね」と言ってきたら、「へえ、そういうの気にする人いるんだね。そんなのどうでもいいと思うけど」と劣等感を否定し、「そんなことより、その人が持つセンスが大事だよね」と、彼の持つ価値観を自分も心から大切にしていることを伝えること。

ほとんどすべての人が何かしらの劣等感を持ち、それを隠すような価値観と世界観を持っている。あなたは**「常に彼の味方で、心はいつも彼のそばにある」と間接的に伝え続けることが重要**だ。もっと細かく劣等感や価値観を見つける方法もあるが、初心者のあなたは、まずこれらを実践するとよいだろう。

❋うかつな言動で彼の〝心の傷〟を刺激しない

また、男性の多くは、過去に何かしらの傷を抱えている。

たとえば、ダメ出しする女性に傷つけられたことのある男性は、優しい女性を求めている。相手に翻弄された経験を持つ男性は、自分を支えてくれる女性を求める。金銭感覚のない女性に苦しめられた男性は、堅実な女性を求める。

では、それをどうやって探るのか？

実は、心に深く刻まれた傷を、彼は無意識に話したがっている。ちょっとした恋愛観や、過去の恋愛の話を聞くだけで、彼は話し始めるだろう。その話には、必ず彼の心の傷が含まれている。そこに、あなたが入るスキがある。彼の心の傷をあなたがフォローできれば、彼に選ばれやすくなるだろうし、興味を持たれるだろう。

逆に、あなたは、彼が傷ついた原因を連想させるような行動をしてはいけない。たとえば、金銭感覚のない女性に傷つけられた男性は、あなたの持っているブランドもののバッグなどに敏感に反応するかもしれない。ダメ出しをする女性に傷つけられた男性は、他人を批判するあなたの言葉に恐怖を感じるかもしれないし、過去のあなたの恋愛体験の話から、昔の傷を思い出すかもしれない。

失恋直後に出会う男性を、あなたが敏感に観察してしまうように、傷ついた男性はあなたの言動をチェックしている。この人は前の女性と同じ種類か、違う種類かを常に探っている。

あなたのうかつな言葉は、彼の心を離れさせる原因となりかねない。あなたに好きな男性がいるのなら、男性にはそのような面があることを知っておいて損はないと思う。

5 自分の中身を磨いて「深みのある女」になる

「外見」を磨くのは、比較的手っ取り早くできて、効果も出やすいが、自分の中身を磨くのは難しい。本当に難しい。今までの人生すべてが、あなたの中身を作っているからだ。

では「好きな男性と恋愛関係になる」ために必要な「中身」とは何か？　英会話の能力？　海外旅行にいっぱい行っていること？　生け花や茶道などのたしなみを持つことだろうか？　答えはどれもノーである。ほとんどの男性にとってそれらは、さして重要ではない。

女性は二十代の後半になると、そういうものが自分を磨くことだと思ってしまう傾向があるようだが、そういった類《たぐい》の旅行や習い事は、男性を得るためには、ほとんど意味がない。いろいろな習い事に通いつめ、海外旅行に行きまくっている女性に対して、引いてしまう場合すらある。

男性を振り向かせることを目的とした場合、「中身を磨く」ということでまず重要なのは**「男心を知る能力」「男を受け入れる能力」**、そして、その結果として出てくる**「男を許す能力」**であると僕は考えている。

「男心を知る能力」は、この本全体を通じて書かれているので、じっくり読んでほしい。また恋愛指南に関する良書を多く読んでほしい。読んで実践しているうちに、自分の中身が磨かれていることに気がつくはずである。

❋女の〝受容性〟は男に安心感をプレゼントする

「男を受け入れる能力」に関して述べる。

女性は二十代後半くらいから「○○君って、マメだよね」「○○君、意外とそういうところ雑だよね」などと、いろいろな男性を評価したり、ときには「これができなくてはダメ、どうしてこんなこともできないの」と口うるさくダメ出しをしてしまいがちになる。

直接本人に言われればもちろん、間接的にそのように人を評価したり、ダメ出しをしたりするのを聞くだけでも、多くの男性は恐怖感や、うっとうしさを感じてしまう。

そして、男が最も嫌う女性の言動の一つが、このような評価やダメ出しである。

多くの男性は、女性に安らぎや居心地のよさを求める。今のままの自分を認めてほしいと思っている。だから、「男性をそのままに受け入れる能力」が女性の魅力となるのだ。その能力は「男心を知る能力」から自然に生まれるだろう。また、この二つの能力は、結果として「男を許す能力」を生み出す。

これは多くの女性が愛されたいがためにしている「自分が無理をして相手のわがままを許す」こととは、違う次元のものだと僕は考えている。

「許す能力」がある女性は、その男性に執着を持たず、彼を自由に泳がせてあげ、縁があれば自分のもとに来ることを知っている。

男がどういう生き物かを知っていれば、彼がどのようにふるまおうが想定の範囲内であり、その男性に利己的ではない深い愛情を示すことができる。

そのようにして身につけた、ほかの多くの女性と異なるふるまいが、最終的に男性を惹きつける。そして、そうしたふるまいを身につけることこそ、女性が好きな男性を得るために必要な「中身を磨く」ことだと僕は考えている。

ところで、男女に関わりなく、相手に対して内面的な深みを感じるということは、実はその人と自分の価値観の近さを感じるという意味にすぎない。そういう意味で中身を磨くことは、前述したように、価値観をほめ、劣等感に触れないことと直接関わってくる。

ほかにも、知性や人としての深みなども、その人の重要な中身となるが、この本を手にとっているあなたなら問題はないはずだ。なぜなら、この本を手にしたということは、起きている問題を客観視し、原因を他人にではなく自分に求め、正確に解決しようとする行動にほかならないからだ。

恋愛に限らず、このような行動が知性を高め、人としての深みを増すのだろうと僕は考えている。したがって、これを読んでいるあなたは、すでに自分を磨いていることになる。

以上が、好きな男を振り向かせるのに重要な「中身」の話である。これらを磨くことで男性を得る可能性は格段に高くなるだろう。

⑥ 恋の「駆け引き」に強くなる

「上手な恋愛ができない女性」や「都合のいい女になってしまう女性」は、恋の駆け引きが下手な場合が多い。途中まで相手が自分のことを好きになりかけているのに、なぜか急に彼が冷めてしまい、どうしても恋人にはなれない。

それは、たまたまそういう人を好きになってしまっただけなのだろうか？

たとえば彼が、「オレ、本気で恋したことないんだよね」とか「よく冷めてるって言われるよ」と言うとする。周りはラブラブな恋人同士ばかりなのに、彼は人を愛せない特別なタイプなのだろうか？

実はそうではない。彼は典型的な男性であり、ある種の駆け引きをすれば、いとも簡単に恋に落ちる。上手な駆け引きのしかたを知っていれば、あなたはその男性を、「あなたのことしか考えられない状態」にすることもできるだろう。

「なんであんなにかわいくない女性が、いい男を恋人にしているのか？」

「なんであんなに性格の悪い女が、とっかえひっかえ、いい男と付き合っているのだろう?」

あなたはそう思ったことがあるだろう。おそらく、彼女たちは、生まれつきかそうでないかは知らないが、駆け引きの方法を知っているのだ。しかし、あなたもこの本を読み進めていくうちに、その女性たちが、なぜ意中の男性を手に入れているかもわかってくるはずだし、そのノウハウが理解できるはずだ。

このように、「好きな男性を振り向かせる」ことは手間がかかるし難しいのだが、付き合った男性とよい関係を維持することはさらに難しく、別の能力が問われる。それに関しては、別の章で述べる。

2 「恋愛回路」が愛を生む、執着を生む

あなたは、「恋の病」にかかったことはないだろうか？

たとえば、相手のことが好きで好きでしかたがなくなり、どんなに相手との関係が辛くて離れたくても、離れられなくなる。誰に何と言われようが、相手にどんな扱いを受けようが、どんなに自分の気持ちが届かなかろうが、切ないほど相手を想ってしまう、というように。

一方、自分の好きな人がこのような「恋の病」にかかり、自分のことしか考えられなくなれば、どんなに嬉しいだろうと思ったことはないだろうか。

それらに関わっているのが、僕がこれから話す「恋愛回路」である。

恋愛回路とは、思い通りにならない好きな人を、何とか思い通りにしたいとずっと

考えているうちに、脳の一定領域にその人のことを考える回路ができるという、僕が考えた概念である。

言い換えると、**好きな人のことばかり考えていると、その人のことを考える習慣が自然につき、それが強い執着心となる**ということである。

あなたに恋愛回路ができていると、相手をどうしても嫌いになれなくなる。好きで好きでしかたがなくなる。

一方、相手に恋愛回路を作れば、相手はあなたから離れられなくなる。**この恋愛回路が執着を生み、愛情を生み、憎しみや苦しみを生む**のである。

そこで、ここでは、この恋愛回路の性質を語ると同時に、自分の恋愛回路を小さくする方法、そして相手に恋愛回路を作る方法を語る。

なぜ、恋をすると理性的でいられなくなる？

恋愛回路ができているとき、あなたが実際に考えていることは、「いかにして相手に好かれるか？　相手に愛されるか？」ということである。この回路は愛されているときには見えないが、愛されなくなると、とたんに姿を現わす。

恋愛に苦しむ女性たちは、この回路ができあがってしまっている場合がほとんどだ。いつも一人の男性のことばかりを考えてしまっている。

そして、相手のことを考えている間に強い執着が生まれる。彼のことを考えずにはいられなくなり、「忘れちゃいなよ、そんなひどい男」とか「ほかにも男なんていっぱいいるじゃない」と言われても信じられなくなる。

たとえ理性ではわかっていても、気持ちが彼から離れられなくなり、彼よりもいい人がいるとは思えなくなってしまうのだ。そして時には、それにより仕事に支障をきたしたり、体調を崩したり、自分を嫌いになったり、相手を憎んだりすることもあるだろう。

また、恋愛回路は強い衝動を作る。苦しさから抜け出すために何か手を打ちたくなる。その打った手が失敗すると、また苦しくなる。

そして、相手の言葉や行動、さらには態度があなたに強い喜びや苦しみを与えるだろう。相手があなたに優しい態度をとれば、あなたの心は幸福で満ちあふれ、相手がそっけない態度や冷たい態度をとると、とたんに地獄に堕《お》ちるような感覚を味わってしまう。

「彼を逃したら後がない!」という思い込み

このように恋愛回路に振り回されるのはなぜだろうか?

それは「原始の脳」がそのような回路を作っていて、あなたに目的を果たさせようと必死になっているからなのだ。「この男を逃したら、後がない!」原始の脳がそう命令し続けているのである。

このように原始の脳が必死になると、理性は翻弄され、よくないことが起こりやすくなる。理性は、原始の脳が作る衝動や感情を言語化しているにすぎなくなり、堂々巡りの袋小路的な考えで頭がいっぱいになって、彼に対して何かをしようというアイデアが生まれると、それをせずにはいられなくなる。

その衝動にしたがって一つの行動をとると、今度は「これで本当によかったんだろうか? 逆効果じゃないだろうか?」という反省と後悔に似た感情が生まれ、それを何らかの形でフォローしたいという衝動に駆られる。そしてそれをすると、また反省と後悔が生まれる。

このようなときの考えは、ほとんど無意味であるか害にしかならない場合が多い。彼には、あなたが感情的で、彼に夢中で、利己的に見える。

その結果、あなたは相手の思い通りになってしまうような関係を生みやすくなる。相手との関係が壊れやすくなり、手に入るはずの男性も手に入らなくなる。

今、もしあなたが恋愛回路によって苦しんでいるならば、彼がどんなにかっこよくても、優しくても、金持ちでも、頭がよくても、彼よりも素晴らしい人がいずれあなたの前に現われるということを、あなたは知るべきだ。今のあなたはそれを信じられないだろうが。

彼に〝執着しすぎない〟ほど、愛される

このように恋愛回路はろくなことをしない。ではどうするか？

あなたが恋愛で苦しむなら、恋愛回路を小さくするか、消してしまうのが一番よい。

恋愛回路を小さくしたほうが、恋愛はうまくいく。

好きな人は手に入りやすくなり、恋人同士の関係もよくなる。そして何よりも苦しみが減るだろう。恋愛回路を小さくすることこそ、恋愛をうまくいかせる極意だと言えよう。

恋愛回路に苦しむ症状は、薬物やアルコールの依存症に似ていると僕は思っている。したがって、次の行動をとることを勧める。

◇物理的に離れる

彼のアドレスを捨てる、デートの回数を減らす、彼に会わないようにする、電話をかけたりメールを送ったりする頻度を減らすなど、とにかく物理的に離れることにより恋愛回路は小さくなる。

◇ほかに好きなことを見つける

それはほかの男性でもよいし、趣味でもよい。何でもよいから、ほかに没頭できるものを見つける。

◇ふだんと違う行動をとる

散歩に出てみるとか、友達と旅行に行くとか、とにかくそれまでの決まりきった生活から抜け出すことで恋愛回路は小さくなる。

◇彼を思い出すような行動を減らす、あるいはやめる

彼の家の前を通る、買い物に出かけたときに彼がほしいものを探す、彼が喜びそうな服を探す、彼にメールを書く、彼のことを考える……、そういった行動をいっさいやめる。彼のことを考えている自分に気づいたら、それが恋愛関係に逆効果になりやすいことを知るべきだろう。

◇自分を客観視する

最初のうちは、寝る前に一日の心の動きを日記につけることから始めてもよい。お風呂に入っているときに、自分の心が今どんなふうに動いているのか観察するのもよいだろう。

このようにして、徐々に自分の心を客観的に見る習慣をつける。最終的には彼のこ

とを考えている瞬間、それを自分自身が自覚できるようにする。そうすることで、自分をコントロールしやすくなるだろう。

「ほどよい距離感」が二人の恋にプラスにはたらく

恋愛回路は強力で、ものすごい力でこの五つの行動をやめさせようとするだろう。しかし、あなたがこれを続けることで苦しみはやわらぎ、恋愛はうまくいくようになるはずだ。

相手に惚れすぎずに、ほどよい距離を置くことこそが恋愛をうまくいかせる秘訣である。

こう書くと、「そんなの愛じゃない」と言う人がいるかもしれない。確かに恋愛回路に支配されている愛は、映画になるほどロマンチックであるが、お互いの関係を破壊しやすくするのは、このタイプの愛である。あなたを苦しめるのも、このタイプの愛だ。

もし、今あなたが恋愛回路で苦しんでいるのなら、それは愛ではなく執着だと僕は考える。子離れできない親を想像すると考えやすいかもしれない。本当に子どもを愛しているのなら、彼らはいったん子どもたちを自由にしてやる必要がある。そうすることで彼らも自由になり、子どもたちとの関係もうまくいくようになる。

強い執着にとらわれた関係は、あらゆる人間関係においてマイナスになりやすいことを知るべきだ。

僕が考える愛とは、相手に執着しない、執着しないがゆえに相手を憎まない、相手に期待しない、期待しないがゆえに相手に失望しない、相手に見返りを求めない、見返りを求めないがゆえに尽くしすぎない、そんな愛である。

そして、そうありながら相手を想う、という心の置き方が結局は恋愛をうまくいかせるのだと思う。

3 彼の心に「恋愛回路」を作る方法

さて、自分の心ではなく相手の心に恋愛回路を作れば、あなたは相手の心を長い間、自分だけのものにできるだろう。男性は女性に比べて恋愛回路ができにくいが、次に述べる方法により、男性の心にも作ることが可能だ。

だが、この方法は手放しではお勧めできない。相手を苦しめるからである。しかし、この方法は上手に使えば非常に効果が高い、「男の心をつかむ」ための極意でもある。

では、相手の心に恋愛回路を作る方法を教える。

恋愛回路を作るには、次の三つの要素が必要となる。

1　相手があなたを好きであること

2 「手に入りそうで手に入らない距離」を作ること
3 彼にとって「貴重な存在」でいること

以下に一つずつ見ていくことにする。

1 相手があなたを好きであること

相手に恋愛回路を作るために最低限必要なことは、「相手があなたを好きであること」だ。あなたが相手の恋愛対象外である場合は、恋愛回路などできない。

自分が相手の恋愛対象内か対象外かは、相手の態度で大体わかると思う。

自分が相手の対象外である場合は、まずは1章で紹介した「好きな男を振り向かせる6つの方法」を使って〝恋愛対象内の女〟になることから始めてほしい。

そして、相手があなたを好きでいるのなら、**彼の恋愛回路ができるまで、「手に入りそうで手に入らない距離」にいる必要がある**だろう。これは、あなたと彼とが付き合っていようがいまいが同じことである。

②「手に入りそうで手に入らない距離」を作ること

では、その「手に入りそうで手に入らない距離」とは、どのような距離だろうか。まず、その男性があなたを好きになったとき、男性の心は大雑把に言って、次の三つの状態を行き来していると考えてほしい。

①相手が自分のことを愛していると確信している状態

男性は、「彼女は自分に惚れているに違いない」と思っているとき、最初は自分が主導権を握っているという余裕のある態度をとる。

その余裕から、「彼女は自分を愛しているんだから、これくらいはしてもよいだろう」と、ふだんはしないような積極性が生まれたりする場合もある。相手に悪態をついたり、からかうような態度をとったりする場合もある。

このような態度をとりながら、一方で女性が自分をいつまでも好きでいてくれるかどうかを探ってもいる。

女性によってはこのとき、男性の心を手に入れるために、たくさんの愛の言葉をその男性に与える。また、この時点で彼と体の関係を持つ女性もいる。

しかし、このときあなたは慎重にならなければならない。なぜなら、男性は女性のこれらの行動により「彼女は自分をずっと愛しているに違いない」と思い始めるからだ。この状態が続くと、男性の心は冷めていく。それは、手に入らない距離にいたあなたが、手に入ったことに気がつくからだ。男性は手に入ったものに興味を失うのだ。

②相手が自分のことを愛していると確信できない状態

「彼女は自分を好きなのか？　そうじゃないのか？」という心理状態の男性は、相手の顔色をうかがいながら、①の状態になるように努力する。したがって「相手のニーズを満たすような態度」をとるようになる。

この状態の男性はあなたの言動に敏感に反応しながら、あなたを手に入れようと、優しい言葉を言ったり、紳士的な行動をとったりする。

「なんでこの人こんなに優しいの？」とあなたが感じるような男性がいるなら、彼はこの状態にいる可能性が高い。また、積極的にアプローチしてくる男性もいるだろう。男性によって、その戦略は違うが、とにかくあなたに好かれるための行動をとるだろう。

③相手が自分のことを愛していないと確信している状態

この状態にいる男性も、①の状態に近づけようと努力するので、②の状態の男性と近い行動をとるのだが、やがてあなたを手に入れるのをあきらめてしまう。積極的な態度が減り、あなたを手に入れるためにエネルギーをそれほど使わなくなる。あの手この手といろいろな手段を使うのをやめ、あなたへのアプローチもワンパターンになっていく。

それは、あなたが彼をまったく相手にしなかったからである。

また、あなたがわがままますぎたり、彼の努力に対する見返りが少なすぎたりする場合、あるいは自分と性格が合わないことがわかった場合にも、男性はギブアップし、あなたに対するアプローチをやめるだろう。

❋〝男をさまよわせる〟のがうまい女

男性の心に恋愛回路を作るには、あなたは相手が①と②と③の間をさまようように行動すればよい。

ただし、そのためには、相手がこの三つのうちのどの状態にあるのかを、常にあなたが把握していないといけない。

①の状態に相手がいれば、そっけない態度をとることで、②か③の状態に持っていき、相手が③の状態にいれば、相手のアプローチにはまってみせて、①か②の状態へ相手を導く。

一つの言動で判断するのではなく、メールや電話のタイミング、そして内容、実際に会っているときの態度などから、相手がどの状態にいるのかを推測し、流れをつかんでいこう。

敏感になりすぎることはない。彼の態度が変わったかなと思ったときに、こちらの態度も切り替えていけばよい。少しくらいのタイミングのずれは問題ないだろう。

よく、甘え上手だと言われる女性がいるが、このタイプの人たちは「手に入りそうで手に入らない距離」、つまり相手を①と②と③の状態の間をさまよわせるような行動を自然にとっているのだと思う。

自分だけに甘えていると思いきや、急に気まぐれで別の男性のところに行ったりする。かと思うと、また戻ってきたりする。

しかし、こうしたタイプの女性たちも、相手が今、どの状態にいるのかをきちんと判断できなければ、多くの失敗を招くだろう。

3 彼にとって「貴重な存在」でいること

相手に恋愛回路ができるかどうかは、そのような距離を維持すると同時に、**あなたが彼にとってどれだけ「かけがえのない存在」であるか**が関係している。

たとえば、あなたがとても美しい女性なら、彼の恋愛回路は作られやすくなり、それはなかなかなくならないだろう。

ほかにも、あなたが彼にとってとても楽しい人だったり、彼の唯一の理解者だったり、床上手だったり、料理がうまかったり、ともかく彼にとって貴重で喜びを与える存在であればあるほど、彼はあなたから離れられなくなるはずだ。

だから、あなたは自分を磨くべきだろう。

男性は常に、ほかの女性と会うと、無意識にあなたとほかの女性とを天秤にかけ、あなたがどれだけ貴重かを見積もるからだ。彼の見積もりで、いつもあなたが誰かに勝つなら、強力な恋愛回路が彼にできるだろう。

彼にとって「いつまでも特別な女」であるために

さて、初心者の場合、相手に恋愛回路を作ろうとしている間、あなた自身にも恋愛回路ができてしまうことが多い。しかも、それは時間とともに強化されるだろう。相手の出方を意識するがゆえに、彼のことばかりを考える習慣がついてしまうからだ。このことは気に留めておいたほうがよい。

それから、「男は手に入りそうで手に入らない距離にいる女性を好きになるそうですが、いったい、いつまでその距離を保っていればよいのでしょう」とよく聞かれるが、それに対する答えは「いつまでも」である。

付き合う前に一定の距離を置くのはもちろんのこと、付き合っているときでさえ安心してはいけない。

何の努力もしなければ、彼は時間とともにあなたを手に入れたと確信し、あなたへの興味を失っていくだろう。

そのときは、再び「手に入りそうで手に入らない距離」を作り、相手の恋愛回路を強化するように行動しなければならない。そうしないと、相手は新しい女性を見つけて離れていくかもしれないからだ。

面倒だが、二人が結婚して歳をとり、恋愛以上の感情でつながれるまで、あなたは「手に入りそうで手に入らない距離」を彼との間で意識し続けるべきである。慣れてくれば、その距離感作りもそれほど苦にならなくなるはずだ。

2章

男の「心の底」を知って、愛される女になる

――男が本気になる女、恋人未満で終わる女

1 どんなとき、男は「彼女しかいない」と確信するのか

僕は男性の「心の底」をこの本に示している。心の底というのは、感情であり、欲であり、欲を満たすための戦略である。

ほとんどすべての男性は、自分でも気がつかないうちに、「心の底」を理屈で上手に隠しているのだが、この本ではこれを僕が赤裸々に示しているため、男性がいかにも本能だけで動いている悪人に見えるかもしれない。

しかし、このような欲望やそれを満たすための戦略は、女性にもあるはずだ。そういう意味では、女性も男性も変わらない。

もし僕が男性向けに恋愛の本を出したなら「女は欲深く、男を利用することしか考えていない」と書くだろう。

ところで、男性も本気で女性を愛することがある。本気で愛したら、身を捨ててでも女性に尽くすのが男性だ。自分の楽しみなどどうでもよく、相手にすべてを捧げるだろう。そのようなとき、男性は女性が喜んでくれることこそが喜びとなり、幸せとなるのである。さて、この章では、そんな男性の愛について語ってみようと思う。

「男が女に本気になる」6つのステップ

次に示すのは、男性の典型的な恋愛の流れの一つである。この流れを理解し、ステップをきちんと踏めば、あなたの恋愛はとてもよいものとなるだろう。

1　「見た目」で〝恋愛対象内の女〟を絞る
2　本能的に「体の関係」を持ちたいと思い、アプローチする
3　「手に入りそうで手に入らない状況」が続き、恋愛感情が生まれる
4　男性から「付き合いたい」と意思表示する
5　体の関係を持ち、恋愛関係が続くと「愛情」が深まる
6　女性が突然離れると、男性に強い「執着心」が生まれる

この中のステップ③、⑤、⑥において、男性の強い執着心、そして愛情を引き出すことができる。したがって、これらのステップを上手に踏めば、男性に本気で愛されることができると僕は考えている。

では、それぞれの流れにそって愛されるコツを説明していく。

①「見た目」で〝恋愛対象内の女〟を絞る

男性は、一瞬で相手が自分の恋愛対象内か、そうでないかを見極める。そうでない女性は、すでにこの時点でその男性を得る可能性が極端に減るだろう。そういう意味では、美しい女性は得だ。

※容姿に自信がない女性へ――男性の好みは千差万別

最初に、容姿に自信がない女性にアドバイスをする。自分の容姿に自信がないと思っている女性は、まず多くの男性と出会うことが重要だろう。

なぜなら、男性の好みは千差万別であり、ほとんどの男性には、「一般的には美人ではないけれど、僕好み」という不思議なストライクゾーンがあるからだ。そこにヒットすれば、あなたはその男性を得るチャンスに巡り合えるかもしれない。

また一度だけでなく、同じ男性と何度も会っていると、あなたに対する男性の印象は変わってくる。少しずつあなたの性格や自分との相性のよさも見るようになるのである。

したがって、たとえあなたが自分の容姿に自信を持てなくても、同じ職場やサークルなどで目的の男性と一緒に過ごしているうちに、徐々に心を惹きつけ、恋を芽生えさせることはできるだろう。

ただし、1章で述べたとおり、その際、あなたが彼に気があることを見破られてはいけない。

✳「価値のある女性」になる

男性は「価値のある女性」を得ることで自分の能力を感じる。

たとえば、とても美しい女性を恋人にしている男性は、「自分は美しい女性を手に入れる力を持っている」と自分の能力を感じることができる。それはステイタスと言ってもよい。

これは見た目だけではなく、中身においても同様である。したがって、とても性格のよい女性、誠実な女性、周りから好かれる女性など、彼の周りの人からの評価が高い女性ほど、その男性を得られる可能性が高くなる。

だから、彼の周りにおけるあなたの評価を高くすることは重要だろう。

❋最初から「結婚」や「将来のこと」を意識させない

次に、「私は結婚や将来を真剣に考えている人としか、付き合う気はありません」というオーラを出している女性に対して助言する。あなたが相当魅力的でもない限り、最初からあなたと結婚したいなどという男性は、ほとんどいない。

トランプゲームと同様、恋愛でも勝つための上手なカードの切り方がある。男性が本気であなたを好きになるまで、そのオーラは隠しておいたほうがよいだろう。

やがて相手が本気であなたを好きになり、かけがえがない存在だと感じたら、こっちのものだ。「私は結婚や将来を真剣に考えている人としか、付き合う気はありません」というカードは、その状況になって初めて切るべきである。そうすれば、彼は喜んでそれを受け入れるだろう。

ちなみに、二十代後半以降の女性に男性の側からのアプローチが減る原因は、男性が女性から、そのオーラを勝手に感じてしまうからだと僕は考えている。

②本能的に「体の関係」を持ちたいと思い、アプローチする

男性の多くは気に入った女性に出会うと、抱きしめたい、キスをしたい、体の関係を持ちたい、と本能的に思い始める。少なくともこの時点の男性は、その女性に特別の愛情を感じることはなく、ただ性欲があるだけだ。

そして、場合によってはアプローチをする。なお、経験の少ない男性、モテない男性は、この衝動を愛だと感じることもあるだろう。

男性のアプローチの方法はさまざまだ。ある男性はガンガンに誘ってくるだろう。たとえば、若い男性に多いのだが、「付き合ってほしい」「結婚してほしい」「二人の子どもがほしい」などと言い、何度も強引にアプローチしてくる場合もある。ある男性は、何かと優しい言葉をかけてくるかもしれない。また、ある男性は、ときどきあなたと会話をするだけかもしれない。

このステップでは、女性は男性から〝物〟としてしか見られていない。少なくとも、彼の中に愛情は育っていない。

だから、この段階で男性に抱かれた女性たちは、とても悲しく辛く切ない恋を経験する。そのような女性たちは、たくさんの男性と付き合っているつもりでも、男性から見れば性の対象として扱われているだけなのである。

彼女たちは、男性を「しょせん男は性欲だけの生き物」などと感じたりするが、それは単に男性の本当の愛を知らないだけなのである。

ところで、一部の消極的な男性はあなたに興味があるにもかかわらず、何のアプローチもしてこないことがある。そのときは、女性が自分の好意を示し、後押しすることで、男性の心に火をつけることができるだろう。

この段階で、あなたがさまざまな手段を試しても、あなたを特別視しない男性、あなただけを好きにならない男性には執着しないほうがよい。多くの場合、そのような男性への執着は、あなたに苦しみをもたらすだけだからだ。

人が人を好きになることなど、しょせん執着にすぎない。「この人しかいない！」というのは一瞬の感情の動きでしかない。単なる幻想だ。「運命の人」などと、この段階ではまだ決めつけないほうがよいだろう。

③「手に入りそうで手に入らない状況」が続き、恋愛感情が生まれる

男性は、ある女性が手に入りそうで手に入らず、それでも手に入れたいという状況が続くと、その女性に対して恋愛感情が生まれる。男性の心に恋愛回路が作られるのである。

彼があなたに興味を持ち、アプローチを続けるなら、上手に駆け引きをし「手に入りそうで手に入らない」という距離感を維持しよう。この状態を続けることで、男性はその女性に執着するようになる。

このステップをきちんと踏むことが、恋愛ではきわめて重要である。なぜなら、そこで初めて男性の愛情が生まれるからだ。

彼はあなたを幸せにしたいと感じ、あなたの心を満たしたいと思うだろう。それが恋愛関係における、いわゆる本当の愛だといえるだろう。

④男性から「付き合いたい」と意思表示する

③の状況が長引くことにより、男性の側には、その女性を恋人にしたいという感情が強く起きる。

その結果、男性の側から女性に付き合いたいと言うことで、二人は付き合い始める。この契約により、男性と女性は精神的にも結ばれた特別な関係になる。

多くの男性は、「約束を守る」ということを重視する。だから逆に、男性は本当に好きにならないと付き合いたがらない。彼が付き合ってほしいと言って付き合う場合、一般的にはそれなりの覚悟があると考えてよい。したがって、この契約は大切だ。

「付き合ってください」と男性から言わせたら、あなたは恋愛において強い立場に立てるだろう。

あなたが結婚を考えているなら、彼が告白するこのときに初めて、「私は結婚や将来を真剣に考えている人としか付き合う気はありません」というオーラを出してよいだろう。直接そう言ってもよい。

それでも付き合いたいというなら付き合い、そうでないなら切るべきだ。このステップが、恋愛でもっともよい交渉ができるときである。そして、このテンションのまま結婚まで走るのも手かもしれない。

なお、ステップ③を十分に踏まずに告白を受け入れるのは危険である。それは「告白」ではなく「アプローチの手段」にすぎないからである。このような場合、相手はまだあなたを性欲の対象としてしか見ていない可能性が高い。

⑤ 体の関係を持ち、恋愛関係が続くと「愛情」が深まる

正式に付き合った後、体の関係を持ち、上手に恋愛関係を作ると、男性に執着が深まる。ここで生まれた愛情は深い。彼はあなたを心から大切にしたいと考え、彼の一生の記憶にあなたが残るだろう。そして、この時点における上手な恋愛関係の築き方こそ、恋愛で一番難しい試練と言えるかもしれない。

その極意は、距離の置き方、お互いの感情の扱い方、愛し方・愛され方に集約されるだろう。

二人の情熱が高まっている時期は、自由にふるまってかまわないが、相手のテンシ

ョンが落ちたと感じたなら、あなたは次のことに注意したほうがよい。

- 彼にあなたを手に入れたと思わせてはいけない
- 彼に尽くしすぎてはいけない
- 彼にダメ出しや要求をしすぎてはいけない
- 彼のしてくれたことを感謝し、受け入れてあげる

⑥ 女性が突然離れると、男性に強い「執着心」が生まれる

ステップ⑤の状態で長い時間（少なくとも半年～一年）上手に過ごした後、あるいは女性が一方的に男性に尽くした後で、突然女性から一方的に距離を置くと、男性に強い執着心が芽生える。自分のものだったはずなのにそうでなくなると、人はそれに強く執着するものである。これが前述した「恋愛回路」を作る。

ところが、尽くしすぎる期間が長すぎて、彼に別の好きな人ができてしまった場合、これは効果を失う。したがって、あなたが彼の愛を失っていると感じるのなら、彼が

ほかの女性に興味を持つ前に、このステップを踏む決断をしないといけない。そうしないと、この方法を使うのが手遅れとなる場合がある。

またあなたが、⑤のステップで彼にたくさんのダメ出しをしていたり、たくさんの要求をしていたら、うまくいかない場合があるので注意が必要だ。

ここで彼に恋愛回路ができ、彼があなたのもとに戻ってきたいと強く言ったなら、交渉に有利な二度目のステップがきたことになる。結婚を考えているなら、このステップを利用するべきだろう。「私は結婚や将来を真剣に考えている人としか、付き合う気はありません」と言ってよいし、そのまま結婚まで走ってもよいと思う。

〝恋のプロセス〟をきちんと踏むこと

これまで述べたことをまとめると、おおよそ次のようになるだろう。

男性には相手を本気で好きになるステップがある。このステップを上手に踏めば、男性から本気で愛されるだろう。いつも恋愛に失敗する女性、体をもてあそばれる女性は、男性の選び方を間違えているか、これらのステップを上手に踏めない人が多い。ステップごとに、それ相応の対応をすることが大切である。

また、自分の言いたいことを言ったり、自分の条件を提示したりするためにも、このステップを上手に利用することが大切だ。ステップを誤ると、言うことを聞いてもらえないどころか、愛を失う可能性もある。

さらに、男性の愛が完成されたものかどうかは、その男性の経験と思慮深さ、そして知恵に依存する。低い次元の愛は利己的な執着に過ぎない。そのような男性が女性と付き合うと、相手を束縛したり、強い命令で思い通りにしようとしたりと、感情的で理性がない言動をしてしまう。

低い次元の愛は本気であればあるほど、愛されるものを傷つけ苦しめる。それが若い男性にありがちなのは、まだ彼らの経験が少ないからである。しかし、痛みをともなう経験によって彼らは成長する。

だが、年齢が高く経験のある男性であるにもかかわらず、低い次元の恋愛行動をとる人もいる。彼らは経験から学べない人たちなので、不幸になりたくないのなら、そのような人たちとは付き合わないほうがよいだろう。

2 男が本当に考えていることを知る方法

結婚している男が言う、「嫁とはうまくいってないんだよ……。性的な魅力は一切感じないし、家には、ただ寝に帰るだけなんだ。お前といると本当に安らぐよ……。もし嫁と別れたら、ずっと一緒にいられるかな……」。しかし、彼が奥さんと別れるときは永遠に来ない。

また、友達以上恋人未満の男が言う、「僕は昔、恋人に深く傷つけられて、それから人と付き合うのが怖いんだよ。だから君とは付き合えない」。そんな男が半年後には別の女性と正式に付き合っていたりする。

さらに別の男が言う、「本当は会いたいよ。でも仕事が忙しくて会う時間がとれないんだ」。そんな男が出会い系サイトを使って、ほかの女性と会いまくっていたりする。

男性に振り回される女性の多くは、その男性が発する言葉の一つひとつを鵜呑《うの》みにしすぎている。その男性の相手をあやつる言葉やサービストークを信じ、心の中で反芻《はんすう》し、「恋愛回路」を強めてしまう。

そして、これから解説する「男が本当に考えていることを知る方法」を知らない女性は、恋愛においてずっと男に振り回され続けるだろう。

男の言葉の「ウラの意味」を読み取る

男が本当に考えていることを知るためには、言葉が二つの意味を持っていることを理解するべきである。二つの意味とは、「その人が話す内容そのもの」、そして「その人が相手を動かそうとする意図」である。

たとえば、「ディズニーランド、土日は混むから、平日にいつか休みをとって、そのときに行こうよ」という言葉を彼が言ったとする。

この言葉は、本当に「言葉通りの意味」を伝えているという場合も十分にあり得る。しかし、単に「おまえとディズニーランドへは行く気がしない」という意図で口にされることも多い。

では、どうやって彼の言葉の「真意」を知ればよいのだろう？

彼の言葉は〝鵜呑み〟にしない

ほとんどの人は他人を傷つけることを恐れている。あなたは他人を傷つけるようなことを簡単に言うだろうか。

たとえば、親しいけれど見た目が気持ち悪い男に告白されたら、「見た目がＮＧだから付き合いたくないです」とは言わずに、「今好きな人がいるんで」などと適当なことを言い、できるだけ傷つけないように断った上で、その男性から離れるだろう。

また、あなたは両親の前と恋人の前、そして友達の前では言うセリフが違うはずだ。どれも正直に答えているつもりかもしれないが、あなたは心のどこかで相手を気遣い、話す内容を無意識に変えているはずである。

逆に考えれば、あなたが相手の言葉を鵜呑みにしている限り、その真意は引き出せないということだ。

男は基本的に〝サービストーク〟をする生き物

前述のことに加え、男は自分が好意を持つ女性を喜ばせようとする性質を本能的に持つ。だから、男は女性がほしいと思っている言葉を用意する。あなたが寂しいときは温かい言葉を言い、あなたが何かに怒っているときには、あなたの味方になる。男は素直にそうなれてしまう生き物である。

「ナオ、誕生日おめでとう。ナオと誕生日を過ごせて最高によかった。ナオのこと、ずっとずっと大切にするよ」

「はるか、この前はごめん。あれから、はるかのことずっと考えてた。気づくと僕はいつもはるかを傷つけている。最低だよね」

こんな言葉は簡単に言える。だって言葉だけだから。

これらの言葉には、相手に自分のことをいつまでも好きでいさせたいという意図がある場合と、本当にあなたを想って言っている場合がある。

では、このような男性の言葉の何がウソで、何が本当なのだろう?

彼の「行動」は本心をはっきり語っている

「人は言葉ではウソをつけるが、行動でウソをつくことは難しい」という僕が気がついた事実がある。

ほとんどの人は言葉では簡単にウソをつくが、行動に関しては無防備だ。したがって、まず、彼の言葉ではなく、彼の行動を観察することである。

たとえば、あなたがデートに誘っても断ったり、あなたの出したメールに対して特に返事がない場合、それが相手の本当の言葉だと思ったほうがいい。

誕生日に「おめでとう」「愛してる」と言ったくせに誕生日プレゼントは適当に選んだ安物だったり、旅行に行くと言いながら、いっさい企画をしたことがなかったり、何だかんだ言って奥さんと別れなければ、それが彼の本当の心だ。

一回の行動を見て決めるのではなく、その人の一貫した行動の共通部分から判断しよう。彼はあなたに関心があるのだろうか？　彼はあなたのために何か行動をしただろうか？　彼はあなたのために時間を割いただろうか？　どんなに巧みな言葉を使おうとも、行動ではウソをつけない。

だから、彼の言葉はいったん忘れ、ただ彼の行動に注意しなさい。彼の言葉を鵜呑みにしていると、彼は言葉だけで、あなたをあやつるようになる。その場合、彼をダメにしている原因の一端はあなたにもあると言えるだろう。

男は、「もっともらしい理由」をつけたがる

次に言葉から相手の本心を知る方法を教える。何度も言うが、言葉には「言葉そのもの」の意味と同時に、「相手を動かそうとする意図」が含まれている。では、その意図を言葉からどうやって抽出するか？

それは、その人が言った言葉を言葉通りに受け取った場合、自分はどう行動するだろうかをシミュレーションするとよい。

たとえば、僕が女性を映画に誘ったときに「その映画観ちゃった、ごめんね」と女性から返事が返ってきたら、僕は彼女の言葉によって、一緒に映画を観に行くのをあきらめる。

この場合、彼女の言葉の本当の意図は「あなたと一緒に映画を観たくありません」ということかもしれない、と仮説を立てることから始めるのだ。そういった言葉を仮説とともに並べていくと、共通した意図を抽出できる。

たとえば、「今日は忙しいから会えない」「土曜日は友達が遊びに来るから、ちょっ

と会うのは難しい」「眠いのでまた今度」など……。これらを並べると、「会いたくない」という共通の意図が見えるのである。

今の例はあまりにもわかりやすいが、実際はもう少し複雑だ。相手はあなたを傷つけずに納得させるために、非常にもっともらしい理由を述べるだろうし、いかにあなたを想っているかを巧みに話すだろう。

「今週末までに仕上げないといけない仕事があるんだ。約束破ってごめん、本当に。この借りは絶対に返すからさ」

「愛してるに決まってるよ。でもオレ、あんまりクリスマスとか意識しないんだよね。なんかくだらないよ、そういうイベントにこだわるの」

「旅行？　旅行なんかに行きたいの？　ずっと家で二人でいたほうが楽しいよ。一緒にいられれば、どこでもいいんだって」

「ごめん、飲み会に急に誘われちゃって。友達に誘われると断れないんだ」

これらの巧みな言葉も、並べてみると本当の意図が見えてくるのである。

「気があるのに気がないように見える」男もいる

相手の意図をその行動から判断するには、いくつか注意しなければならないことがある。その例として、あなたへの愛情があるにもかかわらず、行動だけで判断する限り、一見あなたに気がないように見える男性のケースを二つ紹介する。

①「傷つくのが怖くて行動できない」男性

強い劣等感を持っている男性は、実はあなたのことが好きなのに、なかなか積極的な行動をとらない場合がある。また、その男性の言葉も一見あなたに興味がないように見える。だから注意が必要だ。彼らは傷つくのを極端に恐れているため、行動に出られないのである。

だが、彼らがあなたに興味を持っている場合、そのサインはやはり言動となって現われているはずだ。そのような男性と出会ったとき、まずあなたは、彼に気づかれずに彼の劣等感の正体を知るべきである。そして、あなたがその劣等感を受け入れることを彼に示すことだ。そうすれば、彼は安心してあなたに近づくだろう。

学歴に劣等感を持っている高卒の男性が、大学卒の女性を好きになった場合を例にとって考えてみよう。

彼は好きな女性に素直に接することができない。なぜなら、大学を出ている彼女に対し、自分が高卒であることに劣等感を持っているからだ。

彼は彼女に自分が高卒であることを明かしていない。明かしたらおしまいかもしれないと感じている。だから、彼女が積極的な行動をとると離れ、彼女が離れていると積極的な行動をとることで、ある一定の距離を保とうとするのである。

彼女には、それがまるで駆け引きのように見える。しかし、彼は単に自分が傷つくのを恐れているだけなのである。

彼は無意識にこう考えている。

「もし彼女が学歴を気にする人だったら、僕は拒絶される。僕が彼女を本当に好きになる前に去ろう。彼女が僕のすべてを知る前に去ろう。そうすれば、僕は傷つかずにすむ。けれども、もし彼女が学歴を気にしない人だったら、すごく嬉しい。学歴さえ気にしなければ僕は彼女に何でもできる」と。この場合、彼女が「学歴なんてどうだっていいじゃない。あなたの魅力を私はわかっていて、それに惹かれているの」という態度を見せたとき、彼は彼女に近づくだろう。

注意しなければならないのは、もし彼女が「そういう常識がわからない人って、いるよね。大学も出てないいんだろうね」というような、彼の劣等感を傷つけるような発言をしたなら、ただちに彼は彼女のもとを去るということだ。いわゆる「地雷を踏む」というやつである。

このように、あるときはあなたから離れ、またあるときは優しく積極的な言動をとる男性には、劣等感がある可能性がある。そのときは、彼がどこに劣等感を持っているかを見つけよう。

②「あなたへの恋心が眠っている」男性

彼があなたを好きだと思う気持ちが眠っている場合もある。この場合も、彼があなたに冷たい行動をとるからといって、あなたのことを好きではないとは言い切れない。

かつて二人にラブラブの時期があったり、彼があなたに積極的だった時期が一度でもあれば、今は彼の心が眠っているだけなのかもしれない。

女性が尽くしすぎたり、ダメ出しをしたりしているうちに、男性はその女性を愛する気持ちを眠らせてしまうことがある。そのときは、彼の眠っている心を起こすことが必要だ。

ただ、あまり長く眠りすぎると、彼の心はそのまま死んでしまう。死んでしまった心には何をしてもムダなので注意が必要だ。

3章

上手な「恋の駆け引き」について

——彼の気持ちを「シミュレーション」してみる

1 彼の「性格・価値観」を正確につかむ

恋愛における上手な駆け引きの方法を教えてほしいという女性が多いので、この章では僕が考える駆け引きのしかたについて解説する。

まず、はじめに注意しなければならないことがある。それは、もしあなたが誰かと駆け引きをしようとしているなら、その相手はあなたの友達でもなければ敵でもない、心を完全に許す人でもないということである。

そのとき、彼はあなたにとって「交渉相手」となる。

つまりあなたは、相手が自分という商品を欲しくなるようにし向けなければならないのである。

そのためには、ターゲットとなる男性のニーズや心の動きを把握しながら戦略を立てていかなければならない。したがって、駆け引きは表面的なテクニックではないし、簡単にマニュアル化できるものでもないはずだ。

恋愛指南書の多くは男性一人ひとりが持つ固有の考え方を、フォローできてはいない。ほとんどの場合、現在の日本や西洋社会の一般的な男性の共通項を扱っているにすぎないため、大雑把な分類に基づくマニュアルに留まってしまっている。

「恋の戦略」をオーダーメイドで立てるコツ

それに対し、僕は人の心を読み解きながら、それに合わせて次のような流れでオーダーメイドの戦略を立てるという駆け引きの方法を提案している。

- まず相手を正確に知り、自分を正確に知る
- その知識をもとに相手が自分のことを好きになるプロセスをシナリオとして描く
- そのシナリオでは、言葉だけでなく、行動や時間などを上手に使い、相手の心の動きなどをシミュレーションしながら自分の役を演じていくようにする
- さらには、役を演じながら、シナリオを書き換えたり、役の立ち位置を変えたりし

て、相手をどんどんシナリオ通りに動かしていく
これらをふまえ、流れを追いながら僕の考えを話していく。

恋の駆け引きで「何よりも大切なこと」

まず、**駆け引きで重要なのは「相手を知る」こと**である。

はじめに、相手があなたを恋愛対象として見ているのか、いないのかを、知る必要があるだろう。そして、相手が女性全般をどのようにとらえているのか、さらに、相手が結婚の対象を探しているのか、とりあえず付き合う恋人を探しているのか、遊びや欲望のはけ口の対象を探しているのかも知っておきたい。

このように相手があなたを、そして女性をどうとらえているかを知ることは重要である。それらを知るために、次に述べるような情報を得てほしい。

◇相手にとって女性とはどのような存在か

・欲望の対象として見ているのか、人格を持った一人の人間として見ているのか？

・手に入りにくいと考えているのか、手に入りやすいと考えているのか？　……など

◇相手の過去の恋愛遍歴

・これまで彼は何人の女性と付き合ったのか？
・彼の経験してきた恋愛は、どのようなものだったのか？
・どうして彼は過去の恋人と別れたのか？
・これまでの恋愛でどのような痛みを味わったのか？
・それらの経験からわかる彼の恋愛観……など

◇相手の現在の状態

・彼に恋人または結婚相手はいるのか？
・恋人がいるなら、うまくいっているのかいないのか？
・恋人がいないなら、失恋したばかりなのか、何年もいないのか？
・職場や私生活で、どれくらい女性と接する機会があるのか？
・結婚のプレッシャーを両親などから受けているのか？
・どれだけ女性にモテるのか？

・仕事で追い込まれ疲れているのか？
・健康に不安を抱えているのか？　……など

◇相手の性質・行動パターン

・彼はあなたにだけ特別優しいのか、それとも誰にでも優しいのか？
・すぐに女性を誘惑するのか？
・自分に自信がなく消極的なのか？
・仕事に強い情熱があるのか？　……など

このほか、彼の家族構成など、いろいろなものが相手を知るための情報となるだろう。情報はあればあるほどよい。それらの情報で彼のあなたに対するテンションも含め、彼を総合的にイメージしていくこと。

彼の〝情報〟をキャッチする2つの手段

さて、彼の情報を得るための手段は、大きく分けて二つある。

一つは、相手の「外見」から、もう一つは、「会話」から相手を知る、という方法である。会話については言うまでもないが、実は彼の「外見」も、彼の「内面」を雄弁に物語っていると言えるだろう。

①「見た目」から相手を予測する

外見は二つの側面を持っている。一つは「生まれながらに持っている外見」、もう一つは「その人があなたや他人に見せようとしている外見」だ。それらをふまえて彼の外見を見ていこう。

＊「生まれつきの容姿」が語っていること

生まれながらの外見は、彼の意志でそのようになったのではなく、与えられたものである。そして、その外見は固有の因果を生む。

たとえば、彼の見た目がかっこよければ、放っておいても多くの女性からのアプローチを受けるだろう。そのような男性は、自分から積極的に告白するという行動をとらないかもしれない。あるいは、特定の女性と付き合う必要はないと考えているかもしれない。

また、男性の身体的特徴は、その男性の劣等感を作り出している可能性がある。たとえば、背が低ければそれに劣等感を持ち、出っ歯ならそれに劣等感を持っている。ハゲている人が、帽子でハゲを隠したり、出っ歯の男性が笑うときに歯を隠すように、その身体的特徴をかばう行動をとっているなら、その男性の劣等感は強いと考えてよい。

自分の身体的特徴を笑いのネタにしているのは、劣等感の裏返しだろう。特に初対面のときなど、あなたに慣れていないときほど、その行動は強く現われるはずだ。

✳「服装・趣味」が語っていること

彼の身につけているものや身の回りにあるものは、彼が自分の意志で選んでいる。したがって、彼の服装を見ると、彼の考え方をある程度予想できるだろうし、あなたに対するテンションや、女性に対しての慣れも予想できるだろう。

どれだけブランドにこだわっているか、彼の乗っている車の車種や内装など、彼の身につけているものすべてが彼がどんな人物かを教えてくれる。

あなたは、決して彼の価値観を否定せず、ただ彼を「観察する」ことだ。もし彼が身につけているもので不思議なものや違和感があるものがあれば、何か意味があるのかもしれないので、質問してもよいかもしれない。あるいは質問せず、ただ記憶にとどめておいてもよいだろう。

さらには、相手がオシャレなカフェをいっぱい知っていたり、おいしいデザートがあるお店を知っていたり、彼の年齢では知りうるはずのない音楽に詳しかったりと、見かけに似合わない文化を持っていたら、そこに女性の影を意識してもよいだろう。それは過去の恋人や数多くいる女友達の影響かもしれないので、それも記憶にとどめておこう。

とにかく、ありとあらゆるものが男性の内面を知る手がかりとなることを覚えておいてほしい。そうした情報は、はじめは意味を持たない単なる情報の集まりだが、すべての情報は相手の人格を作り出しているパーツなので、そのうち、それらの意味やつながりがわかってくるはずだ。そうすれば徐々に相手を一つのイメージとしてとらえられるようになるだろう。

ほとんどすべての場合、そのイメージは複雑なものではなく、とても単純でわかりやすいもののはずだ。

②「会話」から相手の価値観・世界観を知る

出会いや、駆け引きの最初の過程において、会話は相手を知る最もよい方法だろう。そのときあなたは、優秀なインタビュアーになりきらなければならない。そのインタビュアーが相手から何よりも聞き出さなくてはならないことは、相手の価値観や世界観である。これを知っていれば、あなたは相手の心を動かす道具を手に入れることになるからだ。

✳彼の「視線・動作」を観察し、〝場の雰囲気〟を読み取る

まずインタビュアーが気をつけなければならないことは、場の雰囲気だ。

相手は会話をしているとき、無意識に自分の感情を何らかの形で表現している。相手が少しでもあなたに興味があれば、あなたによく視線を合わせるだろう。身を乗り出したり、体の距離を近づけたりするかもしれないし、あなたの体のいろいろな部分を無意識に視線が追うかもしれない。また、あなたがコップを持ったとき、彼も無意識にコップを持ったりするように、あなたのジェスチャーと彼のジェスチャ

ーがシンクロするときもあるだろう。

一方、もし彼があなたに興味がない場合には、あなたを見ずに外の景色を見たり、どこも見ていなかったりするだろうし、二人の会話もとぎれとぎれになるだろう。

これらの雰囲気をあなたは読み取るべきだ。ただし、相手がそのインタビューを楽しんでいないと意味がないので、その場の雰囲気をよく保つことが会話では非常に重要となる。

そのためには、インタビューをしながら、彼を楽しませるために、会話の中に楽しい話を織り交ぜたり、共通の話題で盛り上がってもよいだろう。徐々に打ち解け、彼が自分の価値観や世界観を話し始めたとき、場の雰囲気はよくなっているはずだ。

❋相手が〝気持ちよく話し始めた話題〟を深めていく

では、価値観や世界観の知り方について説明する。

まず、あなたは、これまでのメールのやりとりや、彼のブログなどの内容や自己紹介、彼の職場での評判など、ありとあらゆるところで調べた彼のデータをもとにインタビューを開始し、会話の中で彼が食いつくところ、少し話題をそらして話し出したところなどをつかまえなくてはならない。

そして、彼が気持ちよく話し始めたら、流れを止めずに、彼の目を真剣に見て、心から驚いたり感心したりすること。彼と同調し、彼を安心させ、彼の心を開きながら、インタビューを続けていくのである。

そうしていく中で、たとえば彼が「映画好きなんだよね」と言ったら、彼の世界観の一つを知るチャンスになる。感銘を受ける映画は、彼の世界観と本質的につながっている場合が多いからだ。

そこで、「どんな映画が好きなの？」といった話題から始まり、最終的には彼の哲学にまでたどり着いたら成功だ。同じことが、音楽にも本にも漫画にも言えるだろう。表面的な会話から、内面を探っていくのである。

❋〝抽象的な言葉〟は彼が直面する「悩み」と直結している

また時として、彼は、「人って、結局ひとりぼっちだよね」「僕って心が死んでいるのかな」というように、抽象的なことを言うかもしれない。

実は多くの場合、曖昧な言葉は、そのとき彼が直面している問題と深く関わっている。人は大きな問題に遭遇しているとき、それで頭がいっぱいになる。だから、ふとしたことでそれが口をついて出るのだ。そのときは、「何があったの？」と直接聞いてもよいかもしれない。

悩んでいる彼を、あなたが癒すことができれば、彼との距離は近づくだろう。そのときは、安易に話を聞くのではなく、彼の悩みの本質が見えるまで慎重に聞き手に回ることだ。彼が語りたがらなければ、無理に聞かずに心にとどめておこう。

また、その大きな問題と、彼の世界観や価値観が関係していることはよくあることなので、その関わり合いについても考える必要があるだろう。


このように、インタビューを上手に行ないながら、彼の世界観や価値観に同調し、心から尊敬してほめれば、あなたは相手の心をつかむことができるだろう。なお、そのとき、あなたは決して彼の世界観や価値観を批評してはいけない。

彼を「泳がせる」ことで〝真意〟を探る

ところで、恋愛観に関して彼が語り始めたときには注意が必要だ。それは、単にあなたを動かすための言葉かもしれないからだ。

「僕って付き合うのが苦手なんだよ。女性不信で」と言ったなら、それは彼の恋愛観というよりは、今のままの距離感であなたと付き合いたいという意思表示かもしれない。

あなたはそこで、自分の恋愛観を語る必要はない。「何かあったの？」と、たずねるのはよいが、肯定も否定もせずに、泳がせておいたまま、彼がなぜそう言ったのかを少しずつ探っていくのがよいだろう。

「泳がせる」という行為は駆け引きにおいて極めて重要である。

また彼は、「そんなに見つめられるとキスしたくなるじゃん」とか「そんなにかわいかったら、モテるでしょ」と、あなたの恋心を揺さぶるようなセリフを言うかもしれない。

しかしこれは、ただ、あなたを抱きたいという気持ちが言葉になっているだけなので、基本的に彼の価値観とは何の関係もない。

彼がそのようなテンションのときは、「○○君だってモテるでしょ」とか「キスしたいなんて言われたら、ドキドキする」と、あなたも言葉で彼のテンションを盛り上げるとよいだろう。

ただし、相手に体を許してはいけない。危ないと感じたら、「ごめん、今日は用事があるんだ」と言って帰ってしまおう。つまり、相手の意図を読み、その通りにしてあげるが、体だけは許さないという姿勢だ。なお、相手に関係を迫られて強く拒否した場合は、帰った後にメールなどで「また遊んでください♪」などとフォローをするとよいだろう。

彼を〝プロファイリング〟するときに気をつけたいこと

駆け引きにおいて「相手を知る」ことはとても重要だが、情報を手に入れる際には、いくつかの注意が必要である。

自分の「恋心」は絶対に読まれてはダメ

まずは、これらの情報についてターゲットの男性に直接聞く際に、相手に自分の恋心を読まれないように気をつけなければならないということである。

前述したとおり、自分の恋心が読まれるのは、駆け引きにとって大きなマイナスになる。

意図を読まれることなく、自然に聞けるチャンスがあるのなら聞いてもよいだろう。

また、彼の友人などから、間接的に情報を手に入れる場合でも、不自然な形で手に入れてはいけない。あなたの行動は常に相手に知られると思ったほうがよい。

❋「人からの情報」は鵜呑《うの》みにしない

次に、どのような形であれ、彼について得た情報は、彼がどんな人物であるかの仮説を立てるためだけに使うべきであり、決して鵜呑みにしてはいけない、ということである。

たとえば、彼のことを嫌いな女性が「あの人、けっこう女をだまして遊んでるよ」と言っても、実はその女性が彼を陥れようとしているだけかもしれない。このように、情報には、必ず発信する人の意図が含まれるため、得た情報を鵜呑みにするのではなく、慎重にストックするべきである。

さらに、ターゲットとなる男性があなたに語る言葉も、あなたを動かす意図が含まれているので、鵜呑みにしてはいけない、ということである。

❋ 一度にたくさんの情報をとろうとしない

三つめは、一度に多くの情報を得る必要はない、ということも覚えておこう。

あなたは一回一回の出会い、一つひとつのメールで、彼がどんな人物かを徐々に深く理解し、リアルにイメージしていけばよい。あなたは自分の両親が、自分のふるまいに対して、どう反応するか大体予想できるだろう。そんなふうに彼をイメージできるようにすればよいのである。

2 自分の「恋愛市場での価値」を正確に見きわめる

駆け引きをする際、相手を知ることも重要であるが、自分を知ることは、もっと重要となる。自分を知ることができれば、今後の恋愛にとって大きな力となるであろうし、そうでなくても、自分とは一生付き合っていかなければならないからだ。

しかし自分を知ることは、とにかく難しい。あなたの知り合いの中に、他人への評価は的確なのに、自分のことをまるでわかっていない人が何人もいるだろう。

また、あなた自身も、自分以外の人がどれだけかわいいかはわかるけれど、自分のかわいさがどの程度かということになると、まるでわからなくなったりはしないだろうか？　時に過大評価したり、時に過小評価したりするだろう。

とにかく人間という生き物は、自分のことがよくわからないようにできているのである。

自分の「魅力」を客観的に見るコツ

年齢を例にとって考えてみる。

あなたはいつまでも同じ魅力を持っているわけではない。アイドルを見ていてもわかるだろう。歳をとったら、かわいいだけでは通用しなくなる。それでも芸能界で生き残るには、お笑いタレントのまねごとをしたり、自分の過去を赤裸々に告白したり、ミュージカルに出演したりするなど、別の道を模索するしかなくなる。

同様に一般の女性も、年齢とともに男性から見た性的な魅力を失っていく。二十二歳、二十三歳～三十五歳……。すべての年齢の価値がまったく違う。

男が二十代後半以降の女性を〝怖い〟〝うっとうしい〟と感じるとき

実のところ男性には、二十代後半以降の女性を怖いと感じたり、うっとうしいと感じたりする場合がある。

彼女たちは自分のそれまでの恋愛経験による傷から、相手を見る目が厳しくなりがちで、無意識のうちに、それが態度に出てしまう。間違った男性につかまりたくない、私をだまそうとしてもそうはいかない、という思いがそうさせるのだろう。そのような女性が二十代後半から圧倒的に増える。

彼女たちと話していると、会社の面接試験を受けているような気分になるときがある。

「そういう男って女をダメにするよねぇ」

「○○さんってそういうところマメだよね」

「○○君、着メロ、案外かわいいの使ってるのね」

といった、直接的な評価の言葉はもちろん、女性にそんな気がなくても、男性によっては、言葉の端々から自分が評価されていると感じる。

それらにうんざりし、距離を置こうとする男性もいるだろう。男性にとって「○○君、着メロ、案外かわいいの使ってるのね」という言葉を二十代前半以前の女性が使うのと二十代後半以降の女性が使うのとでは、意味が違って聞こえることがあるぐらいだ。

批判をおそれずに、二十代後半以降の女性が持つマイナスの印象をまとめるなら、「若さという魅力を失っていて、結婚の責任を感じさせ、相手を評価する怖さを持つ場合がある」ということである。

これを知っていれば「見た目の魅力にたよらない」ふるまい、「結婚の責任を感じさせない」ふるまい、「相手を評価する怖さを払拭させる」ふるまいが自然にできるはずだ。

この本で、いくつかの場面において結婚の責任を感じさせないようにふるまえと言っているのは、そういう意味がある。

ただし、既婚男性や女性を完全に欲望の対象として扱っている男性は、女性の年齢をそれほど意識せずにアプローチする。だから、歳をとるほどに〃恋愛対象外の男性〃ばかりから告白されたり、付き合った後、自分が都合のいいように扱われていたことに気がついたりすることが増える場合が多いのである。

❋二十代前半女性は「体だけの関係」にならないように注意!

一方、二十代前半以前の女性は、内面的な成熟度がないため、人としての魅力がないと思われる場合がある。体は好きだけど、付き合っていても退屈という感覚が生じやすい。したがって、付き合う前から相手にされなかったり、付き合ってもすぐ飽きられたりする。

このように男性に飽きられると、彼女たちは必死ですがるため、より男性のテンションが下がってしまう。この年代の女性たちが戦略として持つべきものの一つは、人間的な深みと寛容さだろう。

このように、年齢一つをとっても、相手に映る自分を正確にイメージするのは難しい。しかし正確にイメージしないと、シミュレーションがうまくいかなくなる。

〝恋は盲目〟にならないために

まず自分の精神状態に関して考えてみよう。あなたの今の精神状態や、あなたが彼をどう思っているかによって、彼の見え方はまったく変わってしまう。

駆け引きがうまくいかない女性は、心に相手の姿を浮かび上がらせることができないか、実際の相手とまったく違うイメージを浮かび上がらせてしまっている場合が多い、と僕は考えている。

もし、あなたが相手のことをすごく好きなあまり、相手の言動を何でも好意的にとらえようとするなら、相手を正確に知ることができなくなるため、駆け引きに失敗するだろう。

不倫がいい例だ。

そういう関係が始まったばかりの頃、なぜ女性が相手の言葉を鵜呑みにするかといえば、相手に愛されたいという気持ちが目を曇らせるからだ。

たとえば、彼が言う「今、女房とうまくいってないんだよね。女というよりは、家族として見ているよ」という言葉は、「今、オレの愛情はおまえにある」と相手に思わせるためだけのサービストークなのだが、女性がそれを鵜呑みにしてしまうのは、「彼の愛情は私にある」と思いたいからである。このような両者の意図が合致すると、いわゆる「恋は盲目」になってしまう。

冷静に相手を分析し、相手をきちんと自分の中に浮かび上がらせることができれば、前述の彼のセリフは「『今、オレの愛情はおまえにある』と思わせるために言っている」というところまでわかるはずである。

それはネガティブな感情においても一緒である。もし、相手が自分をだましているだろうと疑っていたら、親切な言葉も何か別の意図があるように見えてしまい、ついには相手が何を考えているのか、わからなくなってしまうだろう。

「恋は盲目」というのは、ある面ではこれらのような状態のことを言っているのだと思う。

とにかく、自分の精神状態や自分の相手に対する気持ちが、自分の目を曇らせていることを知るべきである。

3 「彼になりきってみる」と〝恋の行方〟が見えてくる

ここまでは、相手を知ること、自分を知ることに関して述べたが、それをどのように駆け引きに使えばよいのだろう。知ったところでどうしたらよいかがわからない、と思っているあなたに僕の考えを述べる。

僕の考える上手な駆け引きとは、相手の人格を自分の中に浮かび上がらせ、頭の中で相手を演じながら、そのなりきった相手とのやりとりをシミュレーションしながら行動をすることである。

「EQの高い女性」ほど〝恋のシミュレーション〟がうまい

飲み会をしていて、誰かがほかの誰かを傷つける言葉を発したとする。他人になりきるのが得意な人は、そのとき傷つけられた人の心を感じることができる。自分の中に傷つけられた人の痛みをリアルに感じ、痛いと思う。さらに、そうした言葉が発せられたことで、周りの雰囲気が変わったことも感じ取れるだろう。

このように、他人の心を自分の中に浮かび上がらせる能力は、EQ（Emotional Intelligence Quotient）に含まれ、人間関係における重要な能力の一つであると言われている。この能力を磨くことが、駆け引きを制する大きなポイントとなるだろう。

たとえば、自分がこれから相手に出すメールの下書きを見直してみよう。そして次に「彼になりきり」、そのメールを受け取ったときの彼の感情をリアルに想像する。不安を感じるのか？　嬉しくなるのか？　どうしたくなるだろう？　そういうものを感じ取る。

また、一週間沈黙を続けたとき、相手がどれだけ不安に感じるかを、リアルに体感できるだろうか？　駆け引きが下手な人はそれができない。なぜなら表面的なテクニックや理屈で駆け引きをしてしまうからである。

駆け引きは、シミュレーションをしながら行なうべきである。自分の中に相手が自然に浮かぶようになれば、目の前に相手がいても、言葉を上手に選ぶことができる。

そのためにはシミュレーションをするとき、いかに相手の本当の姿を心に浮かび上がらせられるかが成功のポイントとなるだろう。

メールの内容、タイミング――彼の関心を惹きつけるポイント

前述したような方法をもとに、相手に関する情報を集め、それをもとに次のような男性像が浮かび上がったとする。

- 中肉中背で見た目は普通
- メールなどがマメで、心のケアをすることで女性が落ちやすいことを無意識にでも知っている
- 学歴に強いコンプレックスを持っている
- 服などのセンスがよいことに自信を持っていて、それに価値観を見いだしている
- 乗っている車にお金をかけている
- 几帳面
- 私に興味を持っているが、ほかの女性たちにも興味を持っている

この人物像をもとに自分が相手に書いたメールを見直せば、彼になりきったあなたは、彼の感情を感じることができるはずである。

簡単な例を出すなら、「この前着てた服、何かいいよね。どうしたの?」「○○君は、帽子が似合うよね」「あんな車、初めて乗ったかも」というような言葉は、彼になりきったあなたの心は嬉しがるはずだ。

また、沈黙をどれくらい続けたら、彼になりきったあなたは不安になるだろうか。ふだんは「ありがとう!」と返すメールを、「ありがとうございます」と丁寧語で返したら、どのような感情が起こるのか? それらを常にシミュレーションするのだ。

これまで彼から受け取ったメールの内容や、タイミング、文章の長さなどを彼の性格と照らし合わせ、彼があなたをどう思っているのかを推定する。そして、そのテンションを持った彼、そういう性格の彼を自分の中に思い浮かべる。

彼からのメールが来たら、相手の意図を理屈で読み取ろうとせずに、書いた本人になりきろう。彼を知っていれば、彼が一番食いつくであろう返事が書けるはずだ。そして、それに対し、彼はどう反応するかを予想してみたりする。

このようにシミュレーションをしながら、メールを書き、その返事をまたシミュレーションしていくのだ。

彼との距離を近づける〝心理調整術〟

シミュレーション通りに彼が動かなかった場合は、まだ、あなたの中に正確に彼が宿っていない可能性がある。何かの情報があなたの中に欠けているのかもしれない。何かがおかしいと思ったら、その原因を見つけ出すべきだ。

たとえば、彼の劣等感をあなたが見つけていないのかもしれない。彼には遠距離恋愛の恋人がいるので、消極的なのかもしれない。大変な仕事を任されたり、新しい恋人ができるなど、突然何かが彼の身に起こったのかもしれない。

その何かを見つけ出すと、彼の行動がすんなりと理解できるはずだ。また、彼が劣等感を持っているのなら、それを払拭させれば、彼はあなたとの距離を近づけてくるはずである。

人間の行動は極めて単純であり、彼が抱えている問題や彼の行動を説明するヒントのほとんどは、この本を含む恋愛指南書に書かれているはずだ。

もし恋愛指南書に書かれていることと、これまでの彼の行動とを照らし合わせてピンと来るものがあれば、多分それが答えである。そのようにして、徐々に正確な彼を自分の中に宿らせていくのである。


あなたは、自分が女性だから男性の心を浮かび上がらせるのは難しいと思うかもしれない。

確かに男性の心と女性の心は違うと言っている恋愛指南書は多いが、実はほとんど同じだと僕は考えている。

違っているのは、あるいくつかのポイントに過ぎないはずだ。そのポイントを知ることで、あなたの心の中に男性が宿るだろう。

彼の心にあるトラウマや生まれ育った環境、恋愛経験は、あなたと違うかもしれないが、心の中にそろっている「痛み」「罪悪感」「恋愛感情」「寂しさ」「幸福感」など、ありとあらゆる感情の種類と感じ方は基本的に同じであると僕は思っている。だからシミュレーションが可能なのだ。

自分の書いた〝恋愛のシナリオ〟に彼をうまく引き込む法

相手を知り、自分を知り、シミュレーションができるようになったのなら、次にすべきことは、それらをもとにシナリオを書くことである。そのシナリオの中で自分の決めた役を名女優のように上手に演じて相手を物語に引き込むことが、駆け引きをうまくいかせるコツである。

まずシナリオを書こう。

シナリオを書くためには相手のことや、自分に対する相手のテンションを正確に知る必要があるだろう。相手役はすでに決まっているからだ。

そして自分の演じる役を決める。

恋人に尽くしすぎてうまくいっていないのであれば、「彼にはほとほと疲れていて、彼に執着しないで去っていこうとしている」役を演じたり、片思いの相手に対しては、「彼に恋愛感情を抱いていないけれど、彼の考え方を尊敬し、最大の理解者となる」役を演じたりするのである。

それぞれの場面でその役になりきり、相手の動きをシミュレーションしていき、彼のリアクションを見ながら一人でドラマを組み立てていく。駆け引きの途中でどうするか迷ったときは、自分が決めた役を思い出すのがよいだろう。

「彼にはほとほと疲れていて、彼に執着しないで去っていこうとしている」役のあなたは、彼からの、

「ねえ、今度の土曜に会おうよ。○○って映画、面白そうだよ」

というメールを一日くらい無視して、

「ごめん、その映画、特に興味ないんだよね。誘ってくれてありがとう」

と返すことができるだろう。彼からのメールや、行動がどんどん熱くなるのを感じれば、あなたの役は、

「彼の熱意により、少しずつ、気持ちを取り戻していく」役に変わっていくかもしれない。そうすれば、

「ディズニーシーへ行こうよ。ずっと前に行きたいって言ってたよね」

というメールに、

「いいね、行きたいかも。覚えていてくれてたんだ」

と言える。

〝恋愛対象外の女〟から大逆転するには

また、手に入らない男性を手に入れる場合、あなたの役はあなたが相手の恋愛対象内にいるのか対象外にいるのかによって完全に変わる。

相手があなたに興味を持たない場合、あなたは、彼に「恋愛対象としてあなたに興味はありませんが、あなたの考え、価値観、世界観に興味があります」という役を演じる必要がある。そしてくり返すが、彼に気があるそぶりを絶対に見せてはいけない。

人は自分に興味を持つ人に対して興味を持つ、とデール・カーネギーの『人を動かす』には書かれているが、恋愛が絡むと少し複雑になる。男性は恋愛対象外の女性に恋愛対象として興味を持たれると、相手への興味を失うからである。

したがって、あなたが彼にとって恋愛対象外の場合、恋愛対象ではない形で相手に興味を持つという態度をとる必要がある。

なお、目的の男性があなたに女性として興味を持っている場合には、「あなたに恋愛対象として興味を持ち始めました。そしてあなたの考え、価値観、世界観をもっと知りたいです」という役を演じるといい。

4 恋の名女優は「時間」「言葉」「行動」を意識的に使う

恋のシナリオを書き、自分が演じる役を決めることで、あなたの言動に一貫性が生まれ、相手はそれを読み取る。相手が心の中で無意識に行なうシミュレーションには、あなたではなく、女優であるあなたが演じた役が浮かぶことになる。

その名女優が、次に述べる「時間」「言葉」「行動」の性質を知り、上手に使っていくことが「駆け引き」であると僕は考えている。

1 彼の〝恋心〟を高める「時間」の使い方

❋ 相手よりも〝一歩遅れた時間〟で動く

あらゆる恋愛の駆け引きにおいて、時間のとらえ方は重要だ。一瞬一瞬で生きている人間は駆け引きで相手を動かすことはできない。

たとえば、次のような衝動的な行動をとる人は、恋愛がうまくいかないだろう。

- メールを出した瞬間、彼からのメールが来ないのが気になってしかたがなくなる
- 数日電話が来ないと、何かあったのだろうかと強い不安に襲われる
- 自分が感情的な行動をしてしまった後、何かフォローをしないと、いてもたってもいられない
- 相手があなたを怒らせる言動をしたとき、それにリアクションせずにはいられない

一方、時間を長期間でとらえられる人間は駆け引きに強い。

一週間放っておこうとか、半年かけてのんびり関係を作っていこうと考えられる人間は、一瞬一瞬の感情に従って生きている人間をコントロールできる。

駆け引きには時間が強く関わっている。

相手が一日単位で行動するなら一週間、相手が一週間で行動するなら一カ月、相手が一カ月で行動するなら一年というように、相手が動いている時間よりものんびり行動する。その間に戦略を立て、理性的にそして地道に行動することだ。

「常に遠くを見て行動をしている人」が駆け引きを制すると僕は考えている。

＊〝時間のリズム〟にメリハリをつける

あなたが、相手からのメールに、すぐに返信するような女性だとする。彼からメールが来たらすぐに返す。それをくり返しているうちに、彼は「この女性はメールが来たらすぐ返事をするのだな」と無意識に記憶する。

そうした場合、一日の沈黙、三日の沈黙、一週間の沈黙が大きな意味を持つことになる。自分の持つふだんのリズムを変えることで、相手の心を動かすことができるのだ。

たとえば、相手があなたを怒らせるようなことを言ったとする。そのとき、これまですぐにメールを返していたあなたが三日間沈黙すれば、その行動によって相手を強い不安に導くことになる。その後、相手からフォローのメールが来たとき、「ごめん、ぜんぜん怒ってないよ。忙しくてメールできなかった」などと返せば、相手を安心感で満たすことができる。

逆に相手のメールのテンションが明らかに上がっているとき、自分のメールを返信するタイミングを早め、こちらのテンションが上がっていることを伝えることもできる。このように時間を上手に使えば、言葉を使わずに人の心を動かすことができるだろう。

② 彼の心をゆさぶる「言葉」の使い方

＊言葉遣いを変えて〝距離感〟を作り出す

ふだん使っているメールの文体を変えるだけで、相手との距離感を変えることができる。

「最近何してるの？」という文も「最近は、どう過ごしていますか？」と変えると距離感が生まれる。絵文字を入れたり、丁寧語にしたり、文章の長さを変えることで、言葉そのものの裏に自在に距離感を作り出すことができるのだ。

これもメリハリで、ふだんはいつも通り自然な言葉遣いをすればよい。

そして、相手を動かしたいと思ったときに、突然丁寧語にしたり、絵文字を入れたりすればいいのである。そうすると、相手はそれを敏感に察知して、「彼女らしくない」と感じ、それが何なのかを自然と考えてくれるようになる。

相手はあなたの行動を無意識にシミュレーションしているのだ。あなたの使う言葉が彼のシミュレーションの材料になるだろう。

＊話題を選んで相手を〝誘導〟する

話題を選ぶことでも相手の心を動かすことができる。相手の意図を感じた質問に、あえて答えないというのも駆け引きでは必要である。

たとえば、「オレ、最近独り暮らし始めてヒマなんだよね」とか「彼女とは遠距離でうまくいっていないんだ」といった内容が長いメールの間に挟まれている場合、その話題に触れないことで、あなたの意図は読めていますというメッセージを、間接的に相手に伝えることができる。

一方、その話題に食いつくことで、相手に操作されていると信じ込ませることもできる。そのときは相手が求めている答えを読み取り、自然に返事をしてあげること。「オレ、最近独り暮らし始めてヒマなんだよね」に対しては、「へえ、どこか遊びに行ったりしないの？」とか、「彼女とは遠距離でうまくいっていないんだ」に対して、「遠距離って難しいのかなあ。○○君、辛いよね」といった具合に、自然に食いつくことで相手の意図を読み取りながら、相手を自分に近づけることができるのだ。

3 彼の心に刺激を与える「行動」の仕方

❋〝一貫した行動〟で相手を動かす

一貫した行動は徐々に相手の心を動かす。そして実は一番、力を持っている。我々は無意識のうちに、人は行動ではウソをつかないことを知っているからだ。

また、どんな人でも本能的に言葉と行動の矛盾やズレを感じる力がある。その矛盾に何となくでも気がついたとき、多くの人は相手を信頼できなくなる。言葉と裏腹な行動は、言葉の信頼性を失わせていくだろう。

相手を動かしたいのなら、一貫した行動をとることだ。別れた彼に「あなたの幸せを願っている」と口で言うのなら、一貫してそういう行動をともなわせることが重要だ。

しかし、多くの女性はそれができない。「あなたの幸せを願っている」と言うくせに、別れた彼に好きな人ができても応援できない。何か不安が生まれたり、余裕がなくなると、自分の欲が出て、それを相手に伝えてしまう。

しかし、ここで一貫して「あなたの幸せを願っている」という言葉と行動を一致させれば、最後に彼があなたのもとに戻ってくる可能性が高くなるだろう。

なぜなら、このような**無償の愛こそが最も人の心を動かす**にもかかわらず、それを行動で示せる人はほとんどいないからだ。

❋自分の〝エゴ〟を相手に押しつけない

恋人との関係において、どのような行動をとるかは初心者にはとても難しいかもしれない。たとえば、相手に尽くす行為は「愛されたいからしているのだな」という意図を男性が感じる場合が多くあるため、かえって男性の心を冷ますことになってしまうことがある。

また、相手にダメ出しをしすぎているあなた、要求しすぎているあなた、彼が一人になりたがっているのに放っておけないあなたが、いくら相手に「愛している」と言葉で伝えても無意味である。

相手はあなたの一貫した行動から、愛ではなくエゴを感じるだろう。その場合のあなたは、自分が辛くても相手を責めない、相手に要求しすぎない、相手が望めば一人にしてあげるという行動をとり続けるようにしよう。

やがて相手は、あなたの行動から愛を感じるようになるだろう。とにかく、相手の心を動かすには、意図や下心を感じさせない一貫した行動を続け、信頼関係を築くことが大切である。

前述のように、無償の行為は何より人の心を動かすものである。「報われないのに」と他人が思うような行動をすると、相手はその人を好きになり、その人のために何かしたいと思うようになる。それは相手に気に入られたいからするのではなく、無償でしていることに意味がある。

ここでは、「そこまでしなくても」と相手が思うくらいしないと意味がない。そうすれば、他人と差別化されるのである。

長い目で見れば、無償の行為には見返りがある。そして、その見返りは驚くほど大きいと僕は思っている。

5 周りの人間関係にもこんな気配りを！

最後に、駆け引きは相手と自分だけでしているのではないことを知る必要があるだろう。ここで覚えておくべきポイントは、彼の周りの人間が、彼に影響を与えているということだ。

「恋の駆け引き」は相手と自分だけでは成立しない

彼への想いを「共通の知人」に知られないこと

あなたの狙っている男性への想いを、彼とあなたの共通の友達に知られてはいけない。たいていの場合、共通の友人はろくなことをしないので、相談もしてはいけないし、自分がその男性のことを好きであることも教えてはいけない。

恋愛を邪魔するのは多くの場合、そういう友達の下手な親切心であるからだ。

＊「直接、彼をほめる」より効果絶大！　口コミを利用する

あなたに好きな男性がいたら、その周りの友達にも印象をよくすることは有効である。つまり、口コミを利用するということだ。「あの子、いい子だよな」「○○さんって、かわいいよね」と、彼の友達があなたによい印象を持ち、ほめてくれるように行動することが重要だ。

また彼の友達や知り合いの前で彼をほめるのは、とても有効である。「○○君って、そういうところがセンスあるって思うんだよね」などと彼の友達の前で言うと、それが彼に伝わることがある。これは効果的である。本人に向かって直接ほめるより、ずっと意味がある。

ただし、その友達にもあなたが彼に気があることを知られてはならない。

＊同じグループにターゲットを二人作らない

あなたに好きな男性が複数いたとする。このような場合、間接的にでも、その二人

が知り合う状況を作ってはならない。

たとえば、元彼に未練がありながらも新しい彼に目を向ける場合、その二人が知り合いだと、悲劇を生む可能性が高い。その場合は、どちらかをあきらめるのが最善の策である。

相手はあなたの知らない時間も生きている

相手はあなた以外にも人間関係を持ち、仕事を持ち、家族を持ち、自分自身の健康の問題を抱えて生きているということを、意識するべきだろう。

相手が不思議な行動をしたら、あなたの知らないところで何かが起きている可能性も考えたほうがよい。

男を「信じる」のではなく「知る」こと

駆け引きをし始めると、はじめのうちはぎこちなくなる人もいるかもしれないし、今までよりうまくいかなくなることもあるかもしれない。

それはテニスのフォームなど、いったん身についた悪いやり方を変えるときに、しばらくの間は、かえってへたになる場合があることと同じと考えてほしい。やがて、正しいフォームが身につくと、それは本当の効力を発揮するはずだ。

これまである程度うまくいっていたなら、今までの自分のやり方と、ここでの駆け引きを混ぜて使ってもよいかもしれない。徐々に、ここでの駆け引きのしかたの重みを増やし、よりよいフォームを身につけるというのも一つの手だろう。

ぎこちない駆け引きをしている間、あなたはこう思うかもしれない。

「駆け引きは相手を騙しているのだろうか？」

僕はそうは思わない。彼をリアルにシミュレーションできれば、いつの間にかあなたの心の中に彼が生まれている。

本当によい関係を築けたとき、あなたの心に生まれた彼をあなたは上手に愛せるだろう。彼の心の痛みを自分の痛みのように感じられるだろうし、彼が間違ったことをしても愛おしく許せることもあるだろう。

だから、**本当に好きな相手に対して駆け引きをするのは、むしろよいことであると**僕は思っている。

それは、本当に相手を知った上で信頼関係を築くプロセスとも言えるからだ。盲目的に相手を信じるのは不自然だし、エゴを押し付けることになるし、お互いを苦しめることにもなる。

よい夫婦というのは、多分、**お互いを「信じている」のではなく、お互いを「知っている」**のだ。

4章

自分の感情をコントロールして彼の心を動かす

——あせらない、怒らない、感情的にならない

1 感情的なとき、行動してはいけない

恋人同士の関係が壊れるときや、片思いだった男性が逃げていくケースは、女性のとる感情的な行動をきっかけとして起きることが多い。特に怒り、不安、不満、恐怖、嫉妬など、負の感情が爆発するときの行動は、恋愛関係を一瞬で破壊する力を持つ。

「どうして、私の気持ちをわかってくれないの?」

「こっちがメールを送るばっかりで、あなたは、ぜんぜんメールくれないじゃない!」

「家にあったあのピアス、妹のじゃなくて、別の女のでしょ!」

「何で、あのときドタキャンしたの? 仕事だとか言うけど、私のことちゃんと考えてるの?」

「私はあんたの母親じゃない!」

人はいったん、強い負の感情にとりつかれたら、そのことしか考えられなくなる。そして、どうにかして相手に自分の思いを知らせたくなる。そのために、強いメッセージのメールや電話や言葉、態度を相手にぶつけてしまう。

多くの場合、それは恋を終わらせかねない力を持つ。相手を怒らせて泥仕合になったり、相手があなたに嫌気がさして去っていってしまったりする。

彼に〝感情をぶつける〟のは絶対NG

では、あなたが悲しかったり、怒っていたり、絶望感を味わっていたりして、どうしても彼に何かをしたくてしかたがなくなったら、どうすればいいのか?

答えは単純明快だ。

何もしてはいけない。

そのときにいいと思うアイデアが浮かんでも、たいていそれは、いいアイデアではない。恋愛関係の破壊を望まないのなら、ただただ何もせずに一週間待つことだ。感情的なときに何もしないことがどれだけ難しいか、と思うだろうが、何もしてはいけないのである。

たとえば、感情が収まるまでは、あなたがどうしたいかを紙などに書いて、気持ちを整理したり、仕事や趣味などに没頭したりするとよいだろう。あなたの心が落ち着いたら、もう一度その紙を見て冷静に問題解決方法を考えればよい。

とにかく、決して感情的な態度を彼にぶつけないことだ。そうしないと、今まで築き上げてきたもののすべてが壊れてしまうだろう。

女が〝冷静でいられなくなる〟3つのケース

ここで女性が冷静でいられなくなる三つのケースを挙げてみる。

1 片思いの相手が思い通りにならないとき

まず好きな人がいて、その相手があまり自分を好きではない場合を例に挙げてみる。

あなたがメールを送っても相手からぜんぜん返事が返ってこない。電話をしても電話に出ない、出てもすぐに切りたがる。いつも忙しいと言われる。

あなたは脈がないと思いながらも、あきらめきれず、ずっと努力を続けているという状態だ。そして、だんだんとフラストレーションがたまり、ついにこう思う、「もう終わりだ！　もうやめにしよう！」。

そして、負の感情にかられて、こんなメールを彼に送ってしまう。

「もう、私は疲れました。もうあなたには関わらないから自由に行動してください」

「あなたは私を避けてますか？　そうだったら、はっきり言ってください。もう目の前には現われません」と。

これを受け取った相手はどう思うだろうか。おそらく彼は、そのメールを受け取るまで、あなたのことをほとんど忘れていただろう。あるいは、少しだけうっとうしいと思っていたかもしれない。

しかし、メールを受け取ったとき、彼はこう思うに違いない。

「何で感情的になってるの？」

「オレが何をしたっていうの？」

「うっとうしい！」

そして結果的に彼はあなたを嫌いになり、すべてが終わる。

✳いったん「時間をおく」と急展開する可能性もある

では、こんなときどうするか。

どうせ脈はないのだから「もう終わりだ！　もうやめにしよう！」と思った瞬間から、彼にメールも出さず、すべての努力をやめてしまいなさい。努力するから苦しくなり、好きな相手を嫌いになるのだ。

こんなときは、すべてをリセットして、新しい男性を探したほうが、ずっとよい。とにかく感情的な行動は、後悔だけを残すだろう。

そして、時間を置いてから、あなたの気が向いたら、その男性にメールを出すといいかもしれない。時間とは不思議なもので、そうやって縁を切らずに細々とキープしていると、半年とか一年くらいたったときに、突然彼から「最近どうしてる？」とメールが来たりすることもある。

関係を切ったらチャンスはもう来ないけれど、切らずにおけば、またチャンスがやってくることもある。時間がたてば、彼が寂しくなったり、恋人に振られたり、仕事がうまくいかなくなったり、ふと、あなたのよさを思い出したりしたときなどに、連絡したくなることがあるかもしれない。だから、あなたがあまりにも疲れたら、努力をやめ、のんびりと関係をキープすればよい。

月に一度のメールでも、数カ月に一度のメールでも、気が向いたときに送れば、それで相手とはつながっている。その間に新しい彼を探すのもいい。


恋愛とはタイミングが重要である。

②恋人が思い通りにならないとき

次に、付き合っている彼に腹を立てている場合について語る。

もし彼があなたをとても愛していて、その関係は絶対だと感じているなら、感情的な行動もたまにはよいだろう。しかし、二人が倦怠期を迎えていて、へたをすると彼があなたのもとから去るかもしれないと思う場合、ケンカや感情的な行動は逆効果だ。

この場合、感情的な行動をとらないために、最も有効なのは、距離を置くことである。習い事をしたり、友達と遊んだり、バイトをするなどして、彼と一緒にいる時間を減らそう。

同居しているなら、別々に住むか、部屋を二つに分けて、一人の時間を作ろう。そして、冷静になれるまで彼と距離を置き、あなたが何をしたいかを紙に書こう。紙に書くだけで決して彼には見せてはいけない。一週間して、その紙を見ても同じ考えなら行動に移してもいいかもしれないが、たいていは書いたことはどうでもよくなっているはずだ。

❋彼へのイライラは〝日常のフラストレーション〟が原因かもしれない

そして、冷静なときに改めて考えることだ。あなたは、本当は彼に何をしてもらいたいのだろう。彼にどうなってもらいたいのだろう。

実は、あなたの感情の爆発には、日頃のフラストレーションが関わっているはずである。それは何だろう？　それが解決すれば、そんな感情は起きないはずだ。それを探してほしい。

また、自分がせいせいしたいがために行動するのは勧めない。「せいせいした」などは、一瞬の感情にすぎない。一瞬の感情のためにすべての関係を破壊するのは浅はかすぎる。この場合も感情的な行動は、関係を壊す方向に動くだろう。もし別れるにしても、優しく別れたいものだ。

③ 気持ちを整理したくなったとき

女性の中には気持ちを整理するために、相手に感情をぶつけてしまう人が多く見受けられる。

たとえば、まったく連絡が来なくなった彼や、まったくあなたの思い通りに動いてくれない彼に、「気持ちの区切りをつけたい」と思い、あえて、

「もう終わりにしましょう」

「あなたは私を愛していますか？　私はあなたの愛がわからなくなりました。愛していないのなら、別れましょう」

「あなたの浮気性は収まらないのですね。もうさよならです」

などと言ってしまうのである。

❋「もう終わりにしましょう」と女性からわざわざ言う必要はない

もし彼を思い通りにしたいのなら、彼には何も言う必要はない。黙ってこの章で後述する「冷めてしまった彼の心を取り戻す方法」を実践すること。

それによって彼が不安になり、「僕たちは、もう終わりなのか？」と聞いてきたら、タイミングを見計らって、あなたの気持ちを冷静に伝えればよい。彼はそれで変わる可能性がある。もしそれでも彼が変わらなかったら、彼のことは忘れて、そのままあなたは彼の前から消えていなくなればよい。

あなたにほかの好きな人ができてからなら、「気持ちに整理をつける言葉」を言ってもかまわないだろう。

だが、まだ彼に少しでも未練があるなら、相手に「もう終わりにしましょう」と今あえて言う必要はない。あなたが彼を完全に忘れてしまった頃に、彼があなたを思い出すときがあるからだ。

2

「つい、感情を爆発させてしまった」ときの対処法

すでに感情的な行動をしてしまった人へ。
もし、あなたが強い言葉のメールや感情的なメールを送った後、相手からしばらくメールが来なくても、不安に駆られてはいけない。たいていの場合、相手は怒っていないし、感情的にもなっていないはずだ。

たとえば、あなたがフォローするために送った「さっきは、変なことを言ってごめんなさい。感情的になってました」というようなメールを読んで初めて、「あ、そういうことなんだ、あれは僕を攻撃してたんだ」と相手は思うだろう。

あるいは、「何で一人で、盛り上がったり盛り下がったりしてるんだ？」と思うかもしれないし、「彼女はオレのことが好きだから、あんな態度をとるんだな」と感じ

るかもしれない。

したがって、一週間以上は放っておき、それ以上たってもメールが来なかったら、何も関係ないメールを送るとよいだろう。一週間たつ前に相手からメールが来たら、そのときの相手の感情を読み、それに従った行動をとろう。そのとき、謝るのが妥当と思ったら謝ればよい。

相手を怒らせてしまったら、こんな手紙を書く

では、相手と感情的なやりとりになり、相手を怒らせ、すべての関係を破壊しつくしてしまった場合については、どうしたらよいだろうか。

それが片思いの相手に対してであったのなら、一週間程度、何もせずにおき、その後に「いろいろあって感情的になっていました。ごめんなさい」とメールし、沈黙しよう。手遅れだと思うが、それが最善だろう。沈黙して二カ月程度たてば、ある程度相手の感情も収まっているかもしれないからだ。

二人がすでに恋人なら謝罪の手紙を書こう。その手紙には、次の内容を入れた文章を書く。

- 自分の感情的でバカげた行動を責める言葉
- 相手を傷つけてしまったことへの謝罪
- 相手が自分にとって、いかにかけがえがないかを示す言葉

ただし、ここでは次のことを書いてはいけない。

- 言い訳
- 相手の悪いところ、間違っていることを指摘すること
- 自分がどうしてそのような気持ちになったのかの経緯

たとえ、どれだけ自分の言い分が正しいと思っても、これらを書いてはいけない。書いたところで相手の心には届かないし、相手をますます怒らせることにもなりかねないからだ。

この手紙を相手に出し、もし相手からあなたを責める言葉があっても、それに反応してはいけない。相手が許してくれたのならそれを受け入れよう。

彼との関係を修復したいなら〝理屈〟より〝感情〟を大切に

自分がとった感情的な行動について、「私の言い分は間違っていない」とか「相手に筋を通してほしいからそうした」という人がいる。

しかし、**人は理屈や道理で動いてはいない、感情で動いているのだ。**

それは相手の男性もそうだし、あなたもそうである。多くの人にとって、理屈とは感情にのせている表面上のものにすぎない。

つまり人間関係では、誰が正しいとか間違っているといったことよりも、相手がどう感じているか、相手にどう感じさせているかこそが重要である。

したがって、相手を動かそうと思ったとき、何が正しいかは忘れることだ。そして、自分がどう動けば、相手の心を思い通りに動かせるかということと、相手の言動で自分の心がどう動いたかを知ることが重要なのである。

3 冷めてしまった彼の心を取り戻す方法

恋愛をしているときに、恋人と自分とのテンションが違いすぎることで悩んでいる女性は多いようだが、その原因は、おそらくあなたにとって意外なものであるだろう。そして、今から述べるその解決方法は、いたってシンプルであるし、どのような相手にも間違いなく効果がある。

あなたは、次のような状況に置かれていないだろうか？

- 忙しいと言って、彼がぜんぜん会ってくれない
- 選びに選んで高価な誕生日プレゼントを買ってあげたのに、彼は適当な安物しかくれない
- 私がカゼをひいているのに電話もくれない

- いつも私から連絡をする、彼からは電話もメールもない
- 旅行の計画はいつも私が立てている
- 彼は私と一緒にいる間、ずっとテレビゲームをしている
- 平気で約束をすっぽかす
- 出会い系サイトを使っている
- ほかの女性としょっちゅう遊びに行く
- 私のことよりも友達のことを優先させる
- 言葉でいつも私をコントロールする……など

このような彼のふるまいの原因の多くは、あなたの行動にある。

まず多くの場合、あなたは彼に尽くしすぎているはずだ。あるいは、同時にあなたは彼に「～してほしい」と要求ばかりしているかもしれない。

実はそれこそが彼の心が冷めている原因である。今あなたが彼に尽くしているとしたら、彼の心の中にあなたはいない。今まさに彼は、あなたを忘れているのである。

男性は手に入った女性に興味を失う。男という生き物は、手に入らない女性を手に

入れようとする生き物なのである。だから、あなたは彼の所有物になってはいけない。あなたが尽くせば尽くすほど、彼はあなたをうっとうしく思うだろう。

彼にかいがいしく尽くしたあなたは、やがて尽くすことに疲れ、今度はいろいろなことを彼に要求するようになる、「なんで○○は電話してくれないの？」「たまには○○が旅行の計画を立ててよ！」と。

そのとき、彼はあなたの言う通りにするかもしれないが、そのときだけである。そして、「勝手におまえが尽くしておいて、今度は要求するのか！」と、彼の心はさらに冷めてしまうだろう。彼はあなたを避け、ほかの女性を探し始めるかもしれない。

思いきって「会うのやめる」と……？

さて、このように、目の前にいるあなたを忘れてしまった彼なのだが、その彼の心を取り戻す方法は、いたってシンプルだ。

まず、自分からは電話もメールも一切しないことである。もちろん会うのもやめる。

解決法はここから始まる。

「そんなことをしたら、彼は私を忘れてしまう」と、あなたは言うかもしれない。いいえ、彼はあなたを忘れない。ずっと連絡をしないでいて、初めて彼の心の中にあなたが現われるのである。

彼の心を取り戻したいのなら、彼に尽くすのをやめ、要求もやめ、こちらから連絡をとるのもやめなさい。そうすれば、やがて彼は恋人が自分から離れていく不安に襲われるはずだ。

ただし、すぐに結果が見えるわけではない。この方法が効くのは、やり始めてから数週間後になるだろう。場合によっては一カ月かかるかもしれない。

とにかく、相手から連絡が来るまで、あなたは何もしてはいけないし、連絡が来ても最初は返事すらもしてはいけない。そうすれば、まもなく彼の心はあなたに向き始めるだろう。

あえて自分から「連絡を絶つ」

それでは、具体的にどのようなステップで連絡を絶ち、彼と距離をとればよいのか、順を追って説明していく。

❋連絡を絶つ前

連絡を絶つ前は、彼に自然に優しくし、居心地のよさを提供する。決して彼にダメ出しをしたり、要求や強い感情をぶつけたりしてはいけない。

❋連絡を絶つきっかけ

連絡を絶つきっかけとしてよいのは、相手があなたを怒らせたり失望させたときなど、彼が「もしかしたら、アレが原因で怒ったのか？」と思うようなときを選ぶ。もし、そのようなきっかけがどうしても見つからないのなら、突然でもよいだろう。

❋連絡の絶ち方

完全に連絡を絶つ。いったん連絡を絶ったら、自分からは絶対に連絡をとってはいけないし、彼と偶然にでも会わないようにしなければならない。もし偶然に会ってしまったら、無理に避けずに自然に話すが、「用事がある」などと適当なことを言い、彼の前からすぐに姿を消す。とても辛いだろうが、徹底することこそ重要だ。

また、彼があなたのホームページやブログの存在を知っているのなら、更新をやめる。彼にとって、あなたが生きているのか死んでいるのかすら、わからない状況にするのがベストだ。

物理的にどうしてもそれが無理なら、できる範囲でベストのことをしよう。

ちなみに、すべてを消し去るのと、そうでないのとでは、効果がまったく違う。彼の心にあなたはいないわけだから、最初の一カ月程度は彼から連絡が来ない場合も当然あるだろう。そうなると、強い不安があなたを襲うかもしれないが、それでも自分からは決して連絡をとらないようにすること。

彼から連絡が来ても、あくまで〝そっけなく〟する

突然に彼と完全に連絡を絶って一カ月がたった（人によっては一週間。長くても一カ月半だろう）。そして、ようやく彼からメールが来た。

「最近どうしてるの?」

まず来るのは、このような何でもないメールだろう。何度も注意するが、彼からメールが来るまで絶対に自分からメールをしてはいけない。一度でもメールをしたら、この方法は無意味になる。例外はない。

さて、メールが来ることを期待していなかったあなたは、彼からのメールに驚くかもしれないが、この彼からの第一通めのメールにも返信してはいけない。

この「最近どうしてるの？」というメールは、彼の心に生まれた不安からくる「いつもの距離にいるよね？」という確認のメールであり、今あなたがメールを返すと、彼は安心し、元の木阿弥《もくあみ》に戻ってしまうからだ。二通めのメールが来るまで何も返信せずに待とう。それまでに数日たってもかまわない。

すると、「大丈夫？　心配だよ」というような内容のメールが次に来るだろう。そうしたら、そのメールが来て二十四時間以上たってから「元気だよ」とだけ返す。

この時点で、彼の心がようやく不安で満ちることになるだろう。それまで自分の手の中にあり、自分の所有物だと思っていたあなたが今、自分の前から消えようとしているかもしれないからだ。

❋ 彼の態度が変わるステップ1…彼が焦り始める

不安に満ちた彼は、あなたにいろいろなメールを送ったり、電話をしたりするだろう。まず、電話には絶対に出ないことだ。ストーカーのように何十回もかかってくるかもしれないが無視をする。

「もう僕たちは終わりなんだね。さようなら」と別れを告げるメールが来るかもしれない。「電話とかメールとか迷惑なの？　もうこちらからは連絡しません。さようなら」と言うかもしれない。「無視するな！　失礼だろ！」と怒るかもしれない。

それでも彼からの電話には一切出てはいけない。どんな怒りのメールも電話も無視する。「今から家に行くぞ！」と言われたら、「ごめん、今は会いたくないです」とだけ返す。それに対して、さらにたくさんのメールや電話が来るかもしれないが、それも無視をすることだ。

今、彼は感情にあやつられ、言葉で何とかあなたを動かそうとしているのだ。彼は、あなたの理不尽な行動に対して怒りに支配され、また、あなたの離れていく行動によって不安に支配されている。そして、今まであなたのことを忘れていた彼は、あなたのことで頭がいっぱいになっているのだ。

それでもあなたは電話には出ず、メールの返信は極端に減らす。目安としては、二〜三日に一通、文字数は三十文字以内、内容は極めて事務的にし、自分の感情を込めず、相手への攻撃や気遣いも文面に入れない。

つまりあなたは「もう何もかも疲れた。あなたへの興味を完全に失った。電話に出る気もしなければ、メールを返す気もしない。今は精神的に限界なので、あなたとは関わりたくない。別れてもべつにかまわない」という役を演じるのである。あなたにとって、この時期が一番辛いだろうが、一番の頑張り時でもある。

❋彼の態度が変わるステップ2…彼が「愛の言葉」を告げ始める

やがて、彼が愛の言葉を告げ始めるだろう。何度も言うように、男性は手に入りそうで手に入らない女性にこそ興味を持つのだ。やっと彼の心の中にあなたが現われたのである。

だが、この状態になってもまだメールの頻度を増やしてはいけない。彼が愛の言葉を告げ始めてからも、極端に少ないメールのやりとりをさらに一週間から十日続ける。毎日、何度も電話やメールが来る可能性もあるだろう。あなたはそんな彼の行為をストーカーのように感じるかもしれないが、彼は不安でいっぱいになっているのだ。

実はこのときの彼は、あなたのことを好きになっている。

これは、彼があなたに対して初めて味わう感情かもしれない。それは最初に彼があなたを好きになった頃の感情に似ているが、もっと強く、そして切ないものだ。強い執着が生まれているのである。

❋最終ステップ…彼に「あなたの扱い方」を教える

ここからが重要だ。なぜなら、あなたが彼にあなたの扱い方を教えるステップであり、同時にあなたも、あなた自身の扱い方を覚えるステップだからだ。

この段階にきたとき、彼はあなたの心を取り戻そうと、いろいろな手段を使い始めるだろう。それがあなたにとって嬉しいものであれば受け入れよう。そうでなければ、無視したり、適当に断ったりすればよい。

たとえば、それがディズニーランドでのデートだったとしよう。今まであなたが何度も行きたいと言ってたのに、「いつか行こう」としか言ってくれず、一度も行かなかったディズニーランド。ついに彼はあなたをディズニーランドに誘ったのだ。それには「嬉しい！　行きたい」と素直に言い、デートに行こう。

そして、デートは存分に楽しむ。嬉しいときは「嬉しい」と言うことが大切だ。そしてデートの最後に、あなたを楽しませてくれた彼に、心からお礼を言うこと。そうすれば、彼は、あなたを楽しませたことに心から喜びを味わうだろう。

あなたが、これまで恋人として付き合っていなかったのなら、ここで彼に「付き合ってください」と言わせることができるだろう。この場合、彼が「付き合ってください」と言うまで、体も心も許してはいけない。

男と女の間には〝適当な距離感〟が大切

あなたにとっては意外かもしれないが、**基本的に男性は女性に尽くして喜ばれたときに快感を味わうものである。**あなたは「彼女が喜ぶことをするのが、生き甲斐だ」と彼が感じるように行動し続け、徐々に関係を戻していきながら、彼の行動パターンを作っていくのである。

そのコツは、彼との関係が元に戻ってもメールや電話などのやりとりはひかえめにすることだ。あるいは相手が自分に冷たくなったなと感じたら、少しだけ沈黙することである。ここで、あなたが前のように尽くし始めたら、彼は以前の状態に戻ってしまうだろう。

彼の心を冷まさないためには、適当な距離感を持つことが大切である。「私は、放っておかれたら、あなたから去っていくよ」という距離感だ。

この距離感にいると、彼はあなたを独り占めしたくなるし、一緒にいるのに一人でテレビゲームをしたり、女友達に誘われて飲みに行ったりというようなことはしなくなり、あなたをないがしろにしなくなるはずだ。

これまでのあなたは彼に好かれようと、彼の好みに合わせ、彼の要求を聞き入れ、ひたすらがまんしていたが、そうしたところで彼はあなたを好きにならない。今までもそうだったはずだ。これをやめるのだ。

“尽くす女”ではなく“ほめる女”になる

彼に尽くすのをやめたあなたがすべきことは、彼があなたのために何かしてくれたときに心から喜び、ほめることだ。男にとってはそれが嬉しい。本能的に自分の能力を認められたと感じるのである。

そして、必要なのは相手を包み込む器だ。彼が失敗しても、彼のやり方が気に入らなくても、あなたは彼を許す必要がある。そこで彼にアドバイスをするのはひかえることだ。それは単なるダメ出しになってしまうからだ。

彼はダメ出しを単なるダメ出しとして感じるのではなく、自分のすべてを否定されたと感じてしまうだろう。男性は、そのままの自分を愛してもらいたい、認めてもらいたいと常に思っているものである。

もし、どうしてもがまんできないなら、一度だけ感情を込めずに言おう。

たとえば、「私は、○○のこういうところを直してほしい」「ご飯を食べているときくらいは、一緒にいっぱい話したい」と。

そのときは直らないかもしれないが、あるいは一時的に直るだけかもしれないが、彼はそれを覚えているだろう。そしてあなたが不機嫌だったり、距離を置いたりしたときに彼はそれを思い出し、あなたの要求を満たすだろう。

恋愛では沈黙や距離をうまく使うことが重要だ。

そして、彼が自分の言うとおりにしてくれたら、喜び、心からほめてあげよう。

ただし、この「冷めてしまった彼の心を取り戻す方法」を使うには、まず、あなたと彼が恋人である必要がある。そして、付き合って半年から一年以上たっている必要があるだろう（そこまで時間がたっていない場合でも、効くことはあるかもしれない）。

遠距離恋愛でも、この方法は有効である。また、恋人でなくても、あなたと彼に恒常的な体の関係があり、あなたが彼によく尽くしている場合には有効だろう。それは恋人に準ずる関係だからである。彼に一度も強く愛されたことがなくても、あなたが一方的に彼に尽くしていたのなら有効である。

ただし、この方法は、すでに別れてしまっていたり、片思いの場合は使えない。彼があなたに別れを切り出していたり、別れようとしたりしていたら、効かない可能性がある。

また、彼に新たに好きな人ができている場合は、この方法が使えないかもしれないが、試してみる価値はあるだろう。

さらに、あなたがいつも男性にすぐに振られてしまう場合も、うまくいかないかもしれない。この場合は、あなたは何か別の理由で振られているのかもしれない。したがって、その男性たちが、あなたから離れていった共通の理由をまず知る必要があるだろう。

❋職場が同じ人、同棲している人の場合

また、恋人と同じ職場で働いている女性がこの方法を用いる場合、職場では普通にふるまい、プライベートで実践することだ。そうすることで、効果は落ちるが彼の心を取り戻せるだろう。

しかし同棲している人の場合は、この方法の実行は難しい。

また同棲というのは恋愛関係において、あらゆる意味でマイナスだと僕は考えている。恋愛において距離感はとても重要だからだ。その距離感がうまくとれないのが同棲である。同棲していて彼の心が冷めているのであれば、別々に住むことが彼の心を取り戻す第一歩となるだろう。


最後に注意しておきたいことは、この方法を決して彼に言ってはいけないということ。また彼に「こういうことを、もし私がしたら、私のこと好きになる?」と聞いてもいけない。

聞いたら効果はなくなってしまう。また、これは何度も使える方法ではない。チャンスは一度きりだと考えてほしい。

おそらく途中で精神的に苦しくなるだろうが、一度始めたら、最後までやりきる覚悟が必要となる。感情に負けずに意志を貫くことを約束できるなら、この方法は、あなたを必ず助けるだろう。

4 どうすれば、もっと「幸せな恋愛」を楽しめる？

基本的に、恋愛で幸せな時間はとても短いと考えてよい。あなたが好きな人と付き合い始めたとき、しばらくの間は幸せだろう。
しかし、人の心は変化していく。その心の変化は、高い買い物をしたときと似ていると思う。

あなたの家に、買ったばかりのときは嬉しかったけれど、今は何も感じないものがいくつもあるのではないだろうか？　そしてあなたは、それがなくなったり壊れたりするまで、その存在を忘れているだろう。そして時には、それに代わる新製品がほしくなる。新製品を手に入れれば、それはもう無用のがらくたになってしまう。

人間は感情にコントロールされて生きている。

自分の手に入らないものがあるとき、切なさや、苦しさという感情が生まれ、その感情から逃れるために、相手を得ようと必死の努力をする。そしてそれが手に入ったとき、幸福感という報酬が与えられる。

しかし、しばらくすると手に入れたものに対する喜びの気持ちを忘れ、次の手に入らないものや足りないものを探すのだ。

その一方、手に入れたものが維持できなくなったとき、失いそうなとき、再び切なさや不安がよみがえる。だから人は失って初めて、その大切さに気がつくのである。

このような理由で、恋愛で幸せな時期は短いのだと僕は考えている。だが、このことを知っておくと、知る前よりもずっと手に入れたものに愛情を注ぐことができ、お互いをおろそかにしない、幸福な関係を作っていけるのだと思う。

「いい恋愛」を引き寄せる8つの習慣

恋愛で不幸を感じている人の多くは、次のうちの一つあるいは複数の特徴を持っていると僕は考えている。

1　恋愛に依存した性格を持っている
2　精神的に弱い
3　男心をわかっていない
4　過敏に反応したり、感情的な行動をとる
5　ネガティブな考えに支配されている
6　自分を知らない
7　他人の心が理解できない
8　弱い男と関係を持ってしまっている

そこで、この八つを打開していくための方法を次に細かく見ていく。

❋ルール1　恋愛に依存しすぎない、相手に執着しない

ほとんどすべての人間は、何かに依存して生きている。そして、その依存しているものに人生を支配される。お酒に依存している人は、お酒に支配され、仕事に依存している人は、仕事に人生を支配されているのである。

そして、恋愛に依存する人は、恋人の自分に対する態度やテンションなどによって、幸福の度合いが決められてしまう。不幸なことに、恋愛はお酒や仕事より、思い通りになりにくい場合が多い。相手が人間であるし、恋愛の場合は特に、お互いの利害が絡み、感情的になりやすいからである。

他人の心はとにかく思い通りにならない。そして、人は思い通りにならないと苦しむのである。難しいかもしれないが、幸福になるには、まず恋愛以外の楽しみを見つけることである。そして、特定の相手に強い執着心を持たないことだ。

ルール2　自分をコントロールする「精神的な強さ」を持つ

この場合の精神的な強さとは、「誘惑に負けない」ということである。

誘惑に弱いとは、寂しさや孤独に耐えられず、他人や自分との約束を守れず、一時の快楽に身をゆだね、時として罪悪感を感じながらも社会的な倫理を破ってしまうということだ。

このように、自分をコントロールできず、本能のままに生きる人は苦しむ。どんなに上手にやりくりしても、どんなに恋愛スキルを学んでも、どんなに自分をだましても苦しむ。

困難な道だが、自分をどれだけ制することができるかが、どれだけ長期的な幸せを得るかにつながるだろう。

精神的に弱い人は、**誘惑の対象と距離を置く**のが一つのよい方法だと思う。

✻ルール3　男心を知る

駆け引きが嫌いという女性は多い。「恋愛はゲームでない」と彼女たちは言う。だが、駆け引きというのは言葉が悪いだけで、それは「男心を知ること」と直接関係しているのである。

僕は猫が好きなので猫でたとえてみる。猫はお風呂が嫌いである。そして、あまりかまわれるのが好きではない。もしこれらを知らずに、猫に親切心でお風呂に入れようとしたり、いつもかまったりすると、猫はその人に寄りつかなくなる。猫を愛しているのに、猫に嫌われることになる。

つまり、猫に好かれるには、その性質をよく知り、正しい扱い方で猫をかわいがる必要がある。そうすれば、あなたにとっても猫にとっても、心地よい関係をつくることができるはずだ。

男性も一緒だと思う。男心を知らない場合、あなたが彼にしてあげていることは、彼にとっては迷惑だったり退屈だったりする。そして、その行動が男性を離れさせたりするだろう。時には男性をダメにする場合もある。

これについては何度も述べたが、ダメ男は男性のせいだけでなく、相手の女性にもその原因がある場合が多い。

いい恋をしたければ、男心を知るべきであろう。それは**ゲームとして駆け引きをするためではなく、お互いを幸せにするために必要**なのだと僕は思っている。

✳ルール4　過敏に反応しすぎない、感情的な行動をとらない

好きな人の一つひとつの言動に過敏に反応し、感情的に行動する人は、相手を疲れさせるし、幼稚に感じさせる。やがて相手は離れていくだろう。また、ある種の相手にはコントロールされやすい。

恋愛をうまくいかせるには、前述したとおり感情的なときには行動をしないこと、そしてのんびりと先を見ながら行動することだ。

「今すぐ愛されたい！」「今すぐどうにかしたい！」「嫌われたかも！　今すぐフォローしないと！」ではなく、一カ月後、半年後、一年後によい関係を築けるように考えたほうがうまくいく。

そのためには、相手に対して怒らなければならないときや、沈黙が必要なときもあるだろうが、感情的にそうするのではなく、理性で行なうのだ。

一瞬一瞬の感情に心を支配されて動揺するのではなく、「時間をかけてお互いの関係を育てる」という姿勢が、あなたや相手を幸せに導くだろう。

怒り、妬み、悲しみ、切なさに支配されたままの行動は避けるべきである。そういうときは、距離を置き、言葉から感情を消し、感情が過ぎ去るのを待つ。

幸せな恋愛は、感情でするのではなく、理性でするものだと僕は信じている。

❋ ルール5　楽天的な心で生きる

ネガティブな考えに支配されている人には、少なくとも二つのタイプがあると思う。一つは**「うまくいかない世界の住人タイプ」**、もう一つは**「自分にダメ出しをするタイプ」**である。

「うまくいかない世界の住人タイプ」の人は、運命や、自分以外の他人が自分の人生を支配しているという考えを持っている。

「自分にダメ出しをするタイプ」は自分に自信がなかったり、心に傷を負っている。または誰かに愛されたい、受け入れられたいという思いが強い場合になりやすい。

こうしたネガティブな考えを軽減するには、まず人間がどういうものかを知り、自分を知ることだ。

まず人間の性質について知っておきたいことの一つとして、**「ほとんどすべての人間は自分のことしか考えていない」**ということが挙げられる。

それに気づいている人は少ないのだが、他人はあなたが考えている百万分の一も、あなたのことを考えていない。あなたを非難した誰かも、そのすぐ後にはあなたのことを忘れてしまう。もしずっとあなたを非難する人がいるなら、それはあなたのことを考えているのではなく、自分の利害関係に目が向いているにすぎないのだ。

このような事実を一つ知るだけでも違う。ネガティブな考えに支配された人は、どちらのタイプも、この世の中を、そして自分を曲げて見ている。その世界観では、幸せにはなりにくいだろう。

どちらのタイプも楽天的な友達と付き合うようにし、楽天的な心を身につけるのがよいだろう。**楽天的な心は魅力的な男性を引き寄せやすい。**

❋ルール6　自分を知る

自分を知らなければ、間違った自分の売り込み方をしてしまうため、相手を惹きつけることができないだろう。自分を知らなければ、恋愛においても同じ間違いを何度もくり返すだろう。

たとえば、**長続きしない恋愛をくり返す人は、多くの場合、自分を知らない。**同じ間違いを何度もくり返していることに気づいていない。周りの人は、なぜあなたの恋が長続きしないのか、本当の理由を知っているだろう。あなただけが知らない。

人の心を深く理解している友人が何人かいれば、聞いてみるとよい。みな同じ回答をすると思う。

もっとも、多くの人は、本当のことを言うとあなたが傷つくことを知っているので、何度もしつこく聞かないと、あなたの悪いところを教えてくれないかもしれない。

ともかく、自分を知ることで、不幸な恋愛や長続きしない恋愛から逃れる方法を手に入れてほしい。

❋ ルール7 「他人の心」を理解する

相手がどう思っているかを理解できない人は、本当に苦しむ。

まず、やりとりの中で、相手の心が読めない人、相手が「あなたに何を求めているのか?」「あなたにどうしてほしいのか?」ということを察知できない人は、人から距離を置かれるだろう。

空気の読めない人は、人と深い関係を持つことができなくなる。またそういう人の一部は、人の言動を表面的にしかとらえられず、他人にいとも簡単にコントロールされる。

もう一つ、他人の人格や考え方を理解できない人、自分と異なる考えや価値観があることを理解できない人は、不満や怒りや失望に満ちている場合が多い。

このような人は、周りの人を不幸にし、自分も不幸にする。恋愛関係も仕事での人間関係も、うまくいかない場合が多いだろう。もしあなたが、いつも不満と怒りに満ちていて、周りに理解できない人が多く、理不尽なことだらけなら、あなたは知るべきだ、あなたに原因があると。

とはいえ、他人の心を知る能力を身につけるのは本当に難しい。一つの打開策としては、この本や、巻末で僕が勧めている『ベスト・パートナーになるために』『人を動かす』『自分の小さな「箱」から脱出する方法』など、人の心、人間関係について書かれている良書を読み、理解し学ぶことだろう。

❋ルール8 「弱い男」と関係を持たない

あなたを苦しめる男性は、ほとんどの場合、悪い人間ではなく、精神的に弱い人間である。

弱い人間は本当に多い。不倫をする男性、本能のまま行動する男性、人を傷つける男性、何かあると責任逃れをしたり、言い訳をしたりする男性、惚れた弱みを利用してお金を借りる男性、ウソを平気でつく男性など。

彼らは、誘惑に弱く、今が楽しければいいという考え方で、自己弁護にたけている。あなたがこのような男性と関係を持っていたら、あなたの幸せは遠ざかるだろう。もし、あなたがその男性を変えようとしても、ほとんどすべての場合、失敗に終わるだろう。人は強い痛みがないと変われないからだ。

前項で紹介した「冷めてしまった彼の心を取り戻す方法」は、僕が現在知る限り、交際中の相手を痛みによって変える唯一の方法であるが、この方法を用いても彼が変わらないのなら、あるいは一時的に変わったけれど元に戻ってしまったのなら、あなたはその人からすぐに離れるべきだ。辛いだろうが、幸せになるために残された道はそれしかないと僕は思っている。

また、ふだんはそうでもなくても、いざというときにその弱さが露呈する人もいる。自分の弱さをうまく隠している人だ。この場合、本人が自分の弱さに気づいていないことも多い。

たとえば、あなたを支配する関係を維持しているときは優しく理性的なのに、関係が崩れたとたんに人格が変わる。そういう男性は、その関係の維持に常に気を遣っている。あなたに気を遣っているというより、あなたとの関係性に気を遣っている。

一部の女性はこれを自分に優しいのだと勘違いしてしまっている。それどころか、その男性自身も自分が優しいと思い込んでいる。このような人にも気をつけるべきだろう。

「幸せになれない要素」を一つでも克服すれば、幸せに近づく

もしあなたが今、恋がうまくいかない八つの要素を持っていたとしても悲観することはない。これらを一つでも克服すれば、あなたの不幸な因果律が変わり、幸福を引き寄せると僕は考える。なぜなら、これら八つの要素はお互いに深く関わっているからだ。

たとえば「恋愛に依存した性格」や「精神的な弱さ」を改善することで、それまであなたに近づいてきた「弱い男性」を遠ざけることができるだろう。また「自分を知る」ことで「ネガティブな考えや行動」をやめることにつながる。「恋愛に依存した性格」を直せば「過敏な反応や感情的な行動」をしないで済むようになる。

そして、これらの要素を自覚し、変えようとするだけでも、あなたは素晴らしいギフトを手に入れることができる。

それは「優しさ」である。

変えようとする意志を持てば、あなたが持つ弱さは強さを生み出す種となる。そして、「幸せになれない要素」を持っている人に出会ったとき、あなたは自然に優しくできるようになっているはずだ。

この優しさは表面的な優しさや、見返りを求める優しさと根本的に違う。彼らの心の構造を理解し、彼らの苦しみをわかるがために自然に生まれるものだからだ。心から彼らに同調し、同情できる。

この「優しさ」は、いろいろな意味で幸せを手に入れる因果律を作り出すだろう。

5章

「あきらめきれない恋」をかなえる方法

——「復縁」の可能性を高めるには

1 彼との関係を復活させたいあなたへ

恋人に振られてしまって、その彼との関係を復活させたいという女性は多い。「復縁」をキーワードに何とか解決策はないものかと探しまわり、ついにこの本にたどり着いた人もいるだろう。

しかし、その強いエネルギー、衝動、欲望こそが恋愛関係をさらに壊す力になってしまっているかもしれない。

基本的に、いったん振られてしまったら、再び付き合うことは、ほとんど不可能である。新しい人を見つけ、同じ過ちをくり返さないことを勧める。

だが、新しい人を見つけろと言われても、そんなことはできないと思う女性は多いだろう。彼女達の頭の中には「恋愛回路」ができあがり、彼のことしか考えられなくなっているからである。

では復縁は無理なのかといえば、もちろん可能性はゼロではない。まれではあるが、実際に復縁する人を見かけることもある。

そこで、ここでは復縁の可能性を高める方法について話していきたい。なお、ここから読み始めた人はぜひ、この本のすべての文章に目を通してほしい。この本で僕が話していることは、すべて復縁を成功させるために大切なことばかりだからだ。この本のすべての知識をふまえて行動することで、復縁の可能性は高まるはずだ。

「復縁」を成功させる3つの絶対条件

復縁のために気をつけるべきこととして、共通することを挙げるなら、次の三つだろう。

感情的な行動をしてはいけない

これについては、前章で解説した。感情的になってもいいことは一つもないので、ぜひ熟読してほしい。

「なぜ振られたのか」を正確に理解する

別れ際に彼が言った言葉を鵜呑《うの》みにせず、どうして自分が振られたのかを正確に理解することが復縁には不可欠だ。

彼があなたを振った本当の理由を述べていないことはよくある。本当の理由がわかれば、どうすればよいかが自然に見えてくる。

今すぐ復縁しようとせず、長い目で見ること

今すぐ復縁しようとあせることは、状況を正確に分析することを妨げたり、感情的な言動をとってしまったりする原因となり、結果的に復縁の可能性を低くすることになると僕は考えている。長い目で見て行動することである。

〝振られた〟のは、彼にとって「よっぽどのこと」があったから

相手を振るということは、基本的にとても大きなエネルギーがいる。それまで自分

と生活の一部を共にしていたパートナーを手放すことになるし、どういう形であれ、相手も自分も傷つけるからだ。それでも、彼女を振るのである。つまり、よっぽどのことが彼にあったと考えるのが妥当である。

振られた女性は、最初は混乱する。相手にメールや電話をあびせるほどして、何が起こったのかと説明を求め、相手に謝り、相手に媚び、時には相手に対して怒り、お願いだから復縁してほしいと頼む。

「友だちでもいいから」とすがるのは逆効果

次にその女性がとりがちな行動は「友達でもいいから、つながっていたい」「恋人を越えた関係だから、ずっと一緒にいたい」と伝えることだろう。

多くの場合、男性はそれをも拒絶するか、「友達としてならいいけど、たぶん恋人として付き合うことはないと思う」と返す。

それでも、友達になれたのなら、何とか恋人に昇格したいと考えている女性は、いろいろな手段を使って復縁しようとする。しかし、たいていはうまくいかず、男性の心は、どんどん冷めていく。そしてメールなどによる連絡の頻度が減り、すべてがフェイドアウトする。

あるいは、復縁を頼み込み、いったんは復縁に成功しても、相手の心がすでに冷めているため、「都合のいい女」に成り下がるか、しばらくしてまた振られる。

やがて、相手に新しい恋人ができたり結婚したりしてしまい、その女性もついにはあきらめる。

2 「彼とうまくいかなくなった原因」から復縁の可能性を考える

では次に、二人の関係がうまくいかなくなる典型的なパターンを書き出し、その、それぞれに対して、復縁するための解決策を提案することにする。どんなことが原因でうまくいかなくなったのかによって、復縁の可能性と、復縁のしかたが異なるからだ。

1 彼にたくさんの「ダメ出し」をした場合

「彼があまりにもだらしなくて、私って、いつの間にかお母さんみたいになっている」とぼやいている女性をよく見かける。あなたは、かつては彼の恋人だったはずなのに、いつの間にか彼の母親になってしまったのかもしれない。

でもよく考えてほしい。彼はあなたに母親になってくれなどと頼んでいないはずだ。つまり、あなたが一方的に母親役を買って出ただけなのだ。あなたは彼を立派な男にしようとしたのかもしれない。彼があまりにだらしないので、仕方なく彼に注意して、普通になってほしかっただけかもしれない。

しかしその行為は、彼を自分の思い通りにしようというエゴでしかない。彼にしてみれば迷惑だし、よけいなお世話だ。あなたが親にさんざん小言を言われても、ただ、うっとうしさを感じるだけだろう。それと同じことなのだ。

彼は今、あなたを思い出すたびに、嫌な感覚におそわれる。男性は自分を無能扱いされるのが一番辛いと言ってよいのに、結果的にあなたは彼を無能扱いし続けてしまった。

「彼女の思うような自分にならないと自分は愛されない。彼女は僕を愛しているのではなく、僕に似た誰か別のスーパーマンを愛しているのだ」と彼は感じる。

そして、あなたと一緒にいるのが辛くなり、最後にこう思う。

「そんなにオレが嫌なら、ほかの男と付き合えよ！」と。そして、あなたはついに振られてしまった。

❋沈黙の後、メールで謝罪、彼の素晴らしさを伝える

ではどうするか。

あなたは、二週間程度の沈黙のあと、一通のメールか手紙を出す。

そこで彼がいかに素晴らしかったか、自分がいかに間違っていたかを謝罪する。

このとき、謝罪するだけで復縁を求めてはいけない。復縁を匂わすニュアンスすら出してはいけない。

また、自分を正当化する内容は一切盛り込んではいけない。その手紙に対する返事は来ないかもしれないが、決して返事を求めてはいけない。もし、すぐに優しい返事が来た場合には「ありがとう、嬉しいです」とだけ書いて、すぐに沈黙期間に入る。

その時点から相手からの連絡が来るまで、少なくとも半年は何の連絡もとらないこと。彼にできるだけ自由を味わわせてあげるのだ。こうして、不愉快な思い出が風化して、彼が自然にあなたを思い出すのを待つのである。

❋メールはあくまでさわやかに、短めに

数カ月後ないしは半年後、彼からのメールが来たら、その数日後に二人の共通の思

い出をまじえたメールを書く。内容は別れてから二週間後に書いたような優しい雰囲気の文面にする。さらには彼が思わず微笑むような二人だけのエピソードも書く。長いメールではいけない。重くない、さわやかなものである必要がある。

それに対する彼からの返事が来ても、彼からのメールの頻度より自分からするメールの頻度が高くならないように注意する。

彼から返事が来なければ、さらに半年間、沈黙する。

また、彼から連絡が恒常的に来るようになっても、彼が自分から会おうと言うまで、あなたから会おうと言ってはいけない。彼が何か嬉しいことを言ってくれたら、心から感謝するメールを書く。彼から長いメールや電話が来始めたら、それに応じて自分のテンションも上げてよい。

② 彼がほかの問題を抱えて距離を置きたくなったとき

多くの男性は、大きな問題に直面したとき、それ以外のことが考えられなくなることがある。そのとき、彼は一人で問題を解決したいと思い、あなたと距離を置きたいと思う。男性は自分の力で問題を解決したがるものなのだ。

しかし、女性がそれを不安に感じ、感情的な行動をとると、男性が離れていく場合がある。自分を理解できない彼女の気持ちを、彼は理解できない。

＊彼のテンションが高まるまで〝放っておいて〟あげる

この場合は、すぐに短い謝罪のメールを書く。

「あなたが問題を抱えて悩んでいるときに、私は自分のことしか考えられなかった。本当にごめんなさい。これからはあなたに何があっても、どんな関係でも、いつもあなたを見守っていたいと思っています」

そう書いて、二カ月間の沈黙に入る。これは言葉と行動を一致させるためである。

そして、二カ月たったら、自分の日常の何でもないエピソードを短く書いたメールを送る。そのときに相手にあれからどうなったとか、もう問題は解決した？　といったことを聞いてはいけない。ただ、自分のことを書く。

そして彼が気まぐれに、あなたにメールしてきても、すぐに返事を出してはいけない。彼が送ってきたメールの長さと同程度の文字数で、一日以上、時間を置いてから返信する。

彼から返事が来ても、すぐに返信せず、時間を置く。彼からのメールが来なくなれば、こちらからもメールをしない。彼を放っておいてあげることが大切なのだ。彼のテンションが高まるまで辛抱強く待つこと。三カ月あるいは半年かかるかもしれない。彼から頻繁にメールが来るようになったら、復活は近い。

このケースで注意しなければならないのは、男は口先だけで「問題を抱えていたので一人になりたかった」と言う場合があることだ。あなたはこれが本当の理由かどうか見極めないとならない。

3 彼に強く結婚を迫ったり、責任をとるべきだと責めた場合

これはイソップ童話の「北風と太陽」にたとえられる。北風のように強い風を吹きつけたら、彼は服を着込んでしまう。そうではなく、太陽のように彼を温かな気持ちにし、彼が結婚したいと思うように仕向けなくてはならなかったのだ。

このパターンの復縁は特に難しい。彼はあなたを思い出すたびに、強い責任を感じてしまうからだ。

本当に大好きな女性に対してでさえも、男性にとって結婚という選択には覚悟がいる。二十代後半以降の女性がモテなくなり、別れたときの復縁が特に難しくなるのは、

これが強く影響している。

このような場合は、彼をあきらめることを勧める。復縁は、ほぼ不可能だ。彼を忘れ、新しい男性を探したほうがよっぽどよい。

新しい男性は、あなたの魅力だけに惹きつけられる。

しかし、別れを決意した彼は、あなたのよい面と悪い面を天秤にかけ、結婚はできないと感じてあなたと別れたのだ。彼は、せっかくあなたと別れて自由になったのに、また同じ天秤にかけるだろうか。

結婚を恋愛の一つのゴールとするなら、あなたには、もう時間がないだろう。復縁へのプロセスは、あなたにとって貴重な時間を多く費やす上に、成功の可能性も極めて低い。あなたとの結婚を一度は拒絶した彼に、再び結婚させたいと思わせるのだから。

❋ 半年ほど「沈黙」し、プレッシャーを軽くする

それでも復縁したいと思うのなら、まず半年程度沈黙することを勧める。それにより、彼にかけていた結婚のプレッシャーをなるべく軽くするのである。そして「最近

どうですか?」と、何気ない内容で短いメールを一通出す。彼から返事が来てもすぐにメールを返してはいけない。一日から数日置いて返事をするのが適当だろう。

そして、彼の返事のタイミングや内容から今のテンションを推し量り、彼と同じ頻度で同じようなテンションのメールを返す。それは、彼との復縁によいタイミングをつかむためと、少しずつ彼の気持ちを温めるためである。

❋ 彼と再会するまで人の「心」を研究し、「外見」を磨いておく

メールをしても彼から返事が来なければ、そのままさらに数カ月沈黙し、その後にもう一度メールを出してみる。彼から連絡がない間は、彼との関係でどのような間違いがあったのか、まず自分を分析しよう。

せっかく復縁できそうになっても、同じ間違いをくり返すと、すべてが水の泡になる。また自分が相手に出したメールで、彼に二人の関係がうまくいかなかったことを思い起こさせてしまったら、復活の可能性はゼロになるかもしれない。

この本の中でも何度か紹介した『ベスト・パートナーになるために』などのよい恋愛指南書を読み、自分のした間違いを徹底的に検証するべきだ。

「もう私は知っている」と思っている人でも、本当の理由に気がついていない人は多

い。必ず本を読み、冷静に分析することである。そして、連絡がない間は、人間心理、とくに男の心を研究し、外見も磨くように努力しよう。

再会したときに「この人とだったら、一生一緒にいてもいいな」と彼に思わせるほど、優しさと自信にあふれる魅力的な女性になるために。

関係が復活するまで、あなたは彼に何も求めない。彼を支え、彼を見守る存在になる。必要であれば彼から離れてあげる。そのような無償の愛を一年程度続ける。

それらの過程を経て、うまく彼とのメールが盛り上がってきたら、メールに二人の楽しかったエピソードを織り交ぜてみる。そして彼の様子をうかがう。もし彼が再び会いたいと言ったら、それは大きなチャンスとなる。

あなたは、このチャンスを逃してはいけないが、まだ彼に何も求めてはいけない。今まで得た知恵を総動員し、何も言わずして、彼にとって掛け替えのないパートナーは自分であるように感じさせるのである。

そして、あなたはより美しくなり、料理上手になり、思いやりのある魅力的な人になっていて、「あれ、こんなにいい女だったっけ?」と再会した彼に思わせるようにすることだ。

❋正式に〝復活〟するまで体の関係は持たない

その後、彼が「これからも会いたい」と言ったら、彼のテンションによっては彼に「愛している」と、この時点で初めて伝えてよいだろう。

でも、まだそれは何も求めない愛である必要がある。彼のテンションが低いときには、何も言うべきではない。

また、正式に付き合うまでは体の関係を持ってはいけない。体の関係を持つと急に彼のテンションは下がり、最初の状態に逆戻りするかもしれないからだ。

男性がその女性を手に入れたと感じた瞬間、結婚を意識し責任を感じ、冷める場合がある。

何度も会っているうちに彼が付き合いたいと言ったとき、もしあなたが望むなら、結婚の話を切り出してよいだろう。ここで彼が躊躇《ちゅうちょ》するようであれば、それは復活とは言えないからだ。

❋「恋愛」と「結婚」の違いを知っておく

結婚の話を彼が受け入れたなら、おめでとう！　あなたは太陽となり旅人に服を脱がせることができたということになる。

ちなみに結婚に関して、彼の常識とあなたの常識がくい違う場合、やはり彼は結婚に不安を感じ、あなたと復縁したがらないかもしれない。

結婚と恋愛が違うのは、この部分によることが多い。

彼は間接的に、あなたから結婚に関する考えを引き出そうとするかもしれない。それが彼のニーズに合わない場合、あなたと復縁しないかもしれないのだ。あなたは冷静に見極め、譲れるところは譲り、譲れないところは譲らないようにする必要がある。

ここでは、あなたにとって本当に大切なものが何なのかが問われる。

4 彼の優しさに甘え、彼を傷つけた場合

一部の女性は、付き合い始めの男性のテンションが永遠に続くと信じていて、当然彼が自分に尽くし続けるものだと確信している。

しかし、恋愛関係は自由な関係で、利害により成り立っている。そこには何の法的な契約もない。女性がいつも「彼は私に尽くして当然」という態度でいれば、彼は自分が与えるばかりで、彼女から何も得られない関係に疲れ果て、ついには逃げ出したくなってしまうことがある。

この場合は、基本的に①の「彼にたくさんのダメ出しをした場合」と同じ方法で対処する。あなたの性格にウンザリしてしまった彼に「彼女は変わった」と思わせないといけない。

5 彼に近づきすぎたり、尽くしすぎたりした場合

女性が男性に近づきすぎたり、尽くしすぎたりすると、男性は距離を置こうと考えることがある。男性は女性を手に入れるプロセスを楽しみたいのに、その女性が自分からすべてを与えてしまったからだ。そして、男性はその女性と付き合う責任に重圧を感じてしまい、逃げ出したくなる。

これには大きく分けて二つのパターンがあり、対処方法も異なる。

※ケース1　あなたからアプローチして、体だけの関係を続け、振られた場合

このケースでは、あなたは、返済計画も立てずにローンで買い物をしてしまったようなものだ。先に体を許し、その代償に心を手に入れようとした。

しかし、これは多くの場合、うまくいかない。相手と体の関係を持つことで精神的

にも親密になれたと感じる女性は多いのだが、男性は違う。多くの男性は、好きでなくても女性を抱くことができる。だから、あなたが彼と関係を持ったところで、相手はあなたを愛しているかどうかはわからない。

思い返してみてほしい。彼はあなたに自分から積極的に「愛している」と言っただろうか？　あなたと積極的にデートをしていただろうか？　常に受け身ではなかったか？

彼の優しい言葉は、実はあなたが言わせているか、彼の罪悪感から言っている場合が多い。あなたは彼を手に入れたと錯覚しているが、本当は何も手に入れていなかったのだ。

体の関係を持つと、多くの女性は相手により愛情を感じ、もっと好きになってしまう。

そして、相手に尽くしたり、相手に責任を求めてしまう。でもそれは、男性に恐怖心や強いプレッシャーを与えることになる。好きでもない女性を前にして責任などとれるはずもない。だから、彼はあなたと別れたのだ。

というよりも、彼の心境としては、はじめから付き合ってなどいなかったと言える。

したがってこの場合は、復縁というよりも一から彼を手に入れなければならないと考えるべきであろう。

さて、この状況で彼を手に入れるには、あなたが彼にとって、これまでどれだけ貴重な存在だったかが重要となる。

あなたは誰にも負けないほど美しいのか？　優しいのか？　彼は女性がほとんどいない環境にいるのか？　彼はモテないのか？　そういった市場原理が働く。

方法としては、まず距離を置く。そして一カ月沈黙する。そうすることによって、彼にとってあなたがどれだけ貴重かがわかる。

1カ月以内に彼からメールが来た場合

あなたは彼にとって貴重な存在であるかもしれないが、ここからの努力は難しい。彼に付き合ってほしいと言っても彼は断るだろうからだ。

そこで、努力の一つの方法を教える。この方法は、あなたに苦しみを強いる可能性があるので、あまりお勧めはできない。しかし、最後までやりきったら、確かに大きな効果がある。

まずあなたは、半年をかけて彼に尽くしながら、彼にとって完全に都合のよい関係を作るのである。

彼に新しい恋人ができるかもしれない、彼が一人になりたがるかもしれない。そのとき、彼が求める距離を満たしてあげる。彼が体の関係を持ちたがれば持ってもかまわない。

だが、彼には何も望まない。彼がどんなにひどいことをしても耐える。

同時に、優しさでも、美しさでも、面白さでも何でもよいので、あなたの魅力を彼に植えつける。体の関係を持っているときも、彼を楽しませる。つまり、あなたは彼にとって貴重な存在になる必要があるのだ。

そして、彼にとって本当に都合のよい存在として半年間ふるまった後、彼があなたに執着したと感じたタイミングで、完全に彼のもとを去るふりをする。これは本当に効く。

彼は「オレは、本当に大切なものに気づいた。そしてそれを失ってしまった」と感じ、あなたを取り戻そうとするだろう。セカンドラバーだった女性が彼を射とめたという話を聞くときは、この方法を無意識に実行していた場合が多い。

この方法を実行している半年間はとても辛いし、不安だろう。それに耐える覚悟がなければ、この方法はやってはいけない。中途半端にやれば、ただの都合のいい女で終わる。

そして何度も言うが、この方法はあまりお勧めはできない。普通の女性には難しいだろう。

この方法ができそうにない場合、1章で紹介した方法を実行することを勧める。効果は少ないが痛みも少ないだろう。この場合は、正式に付き合うまで体の関係を持ってはいけない。

彼と距離を置き、1カ月沈黙してもメールが来ない場合

この場合、復縁の可能性は、さらに低くなる。ただ、このまま沈黙をし続ければ、半年程度たったときに、ふと彼があなたを思い出し、メールをくれるかもしれない。そのときがチャンスだと言える。

体の関係が複数回あったにもかかわらず、突然連絡を断った場合、相手から連絡が一度も来ないままで終わるケースはまれである。一カ月から半年の間に、必ず一度は連絡をしてくるものだ。

それでも連絡をとってこなかったら、それは彼にとってあなたが本当にうっとうし

かった場合で、通常は考えにくい。注意すべき点は、突然連絡を絶つということだ。

もし別れ際に、あなたが「二度とあなたとは会わないでしょう」「私のことは忘れてください」などと関係を断ち切るような発言をしたとしたら、彼は当然、連絡をとりづらくなる。もともとそれほど好きではないのに、そんな強い言葉を言われたら、無理にでも忘れようとするかもしれない。

もし別れ際にそのような言葉を発してしまったのなら、最後に連絡をとってから二カ月程度時間を置いて彼に何気ないメールをする。相手から連絡があったら、友達という雰囲気から少しずつ相手の心に入っていこう。なお、この場合もきちんと付き合うまでは体の関係を持ってはいけない。

その長い沈黙に耐えられない場合は、さらに復縁の確率は落ちるが、数カ月に一通程度の頻度でメールを出し、彼が弱って寂しくなる時期にさしかかるのを待つ。その時期に彼の心をつかむ。その周期は半年〜一年に一度くらいはあるだろう。

男性は、一度関係を持った女性に、ある程度の情がうつっていて、自分が弱っているときに、そうした女性に優しくされると恋に落ちる場合がある。それまでの間にあなたの魅力を上手に伝えておくことだ。

✳ケース2　きちんと付き合っていて、尽くしすぎた後に振られた場合

この場合は、なぜ別れたかをもっと詳しく分析する必要がある。尽くしすぎたというだけで男性が女性を振ることは少ないからだ。

確かに尽くすという行為は、男性の心のテンションを下げ、恋愛しているという感覚をマヒさせる。しかし、それで能動的に別れるということはまずない。複合して起きている原因を探すことである。それによって、これからどう行動をとるべきかが変わる。

たとえば、あなたは彼に尽くすと同時に、結婚へのプレッシャーをかけすぎたのかもしれない。

この場合、言葉だけでなく、あなたの年齢もプレッシャーとなるだろう。ずっと彼と同棲をしていて、あなたが三十歳を越えたとしよう。そのときに、彼はあなたから結婚へのプレッシャーを強く感じたかもしれない。そして、同棲して尽くされていることで、あなたへのときめきは、すでに彼から失われている。

彼の目の前には退屈で、窮屈な日常があるだけだ。そして、結婚へのプレッシャー。「結婚したら、これがずっと続くのだ」と、彼は心の底から憂うつになる。

「モラトリアムも、ここが限界だろう。今を逃すと僕は彼女と結婚しなくてはいけなくなる。彼女を好きでもない僕が結婚したら、彼女は不幸になるし、本音を言えば、僕だって早く自由になって、本当に好きな人を見つけて結婚したい。彼女が若いうちに別れて、結婚へのチャンスをあげたほうがお互いのためだ。タイムリミットは今しかない」。そして別れた。その場合のあなたは③の「彼に強く結婚を迫ったり、責任をとるべきだと責めた場合」の復縁方法をとる必要がある。

6 彼の目の前に新しい女性が現われたり、彼に近づく女性がいた場合

前述したいくつかの原因に加え、彼の目の前に新しい女性が現われたり、彼に近づく女性がいたとき、「別れ」の引き金は、より早く引かれるかもしれない。とにかく今は何をしてもムダである。彼にとってあなたは新しい恋を邪魔する存在でしかないからだ。

しかし、すべての恋愛関係は無常であるので、彼が新しい恋人を作ったとしても、すぐに別れるかもしれない。男性は目新しい女性に興味を持つように作られているが、その新しい女性が魅力的だとは限らないからだ。

彼は新しく付き合った女性にやがて疲れ、あなたを思い出すかもしれない。その機会を待つ。

一年間沈黙をした後、彼の誕生日や、クリスマス、バレンタインデーなどに、短いメールを送り、チャンスを待つ。あるいは数カ月たった後、ふと何となくメールを送る。

そのようなことが復縁のきっかけとなるかもしれない。

一年以上の時間を要するかもしれないが、復縁は、常にそのくらいのスパンを念頭に置かなくてはうまくいかない場合が多い。もちろん、彼の新しい恋人があなたより男心を知っていて彼にとって魅力的なら、復縁は難しい。

彼の気持ちを取り戻すには〝地道な努力〟が不可欠

前述のいずれの場合も、彼の誕生日には短いお祝いのメールを書いていい。誕生日は特別な日であり、その日に受け取るメールに男性は無償の愛を感じるからである。

それは、クリスマス、バレンタインデーにも応用できるだろう。ただし、彼に振られてさんざんあなたがすがった直後はお勧めしない。「まだオレに未練があるんだな」と彼に思われる可能性があるからだ。

あなたの送ったメールに返事が来なくても、がっかりしないこと。

そして、自分の誕生日や二人の記念日には何も求めてはいけない。記念日や、あなたの誕生日は、あなたにとって重要なだけで、彼はあなたのエゴしか感じないかもしれないからだ。

また、あなたの誕生日が彼の誕生日に近い場合も、「誕生日に連絡が欲しいんだな」と彼に思われてしまうため、彼の誕生日には何も送るべきではない。

数カ月の間に記念日が重なる場合は、どちらかだけにすること。長い目で見て少しずつ地道に努力することが復縁には重要である。

3 復縁を成功させるために気をつけたいこと

復縁に向け行動をしている最中、彼の周りにさまざまなことが起こるかもしれない。たとえば新しい恋人候補が彼の前に現われる、重要な仕事を任されて緊張感にあふれた毎日を送る、親の介護が必要になるなど、大きな問題を抱えるかもしれない。

それによって、せっかくうまくいっていた作戦も、とたんに崩れ去ることもあるだろう。

逆に、一時的にうまくいくこともある。

その兆候は、彼のメールの長さ、頻度、内容などに現われてくるだろう。それらを読み取り、それに見合った行動をとることが復縁にとって重要なカギとなる。

"復縁作戦"実行中は誰にも口外しないこと

まず、彼のことを共通の友人に相談してはいけない。これは親兄弟にも同じことが言える。彼らは、たいていろくなことをしないからだ。あなたのためを思ったり、彼のためを思ったり、あるいは何も考えずに、さまざまな行動をとる。

基本的にそういう行動は復縁にはマイナスだ。

あなたが復縁したいと思っていることが彼に伝わり、彼のテンションがより下がったり、彼が共通の友人を利用して、あなたの心を惑わすメッセージを送ったりする（悪意なく、そうしてしまう場合もある）。

共通の友人には、彼のことや彼とどうしたいかを一切言わないことだ。また、彼のことを聞こうとしてもいけない。

最後にもう一度言うが、復縁はあきらめたほうがよい。

同程度か、それ以上の男性が見つかる可能性は、多くの場合、復縁よりは高い。それでも復縁したいのなら、時間は半年から一年以上かかると思ったほうがよい。すぐに復縁しようとあせると、かえって可能性は下がる。

もう一つ大切なことは、彼の言動に一喜一憂しないことだ。ほかの男性も探しながら、毎日を楽しみながら、ある意味ゲーム感覚ぐらいの心境でいるほうが、真剣に思い詰めるよりも、結局うまくいく場合が多い。

職場内恋愛などの場合は距離を置きにくいと思うが、彼につながろうとせず彼を拒絶しないように対応し、プライベートでは一切会わないことで相手と距離を置こう。

復縁は、あなたと彼が付き合っていたとき、あなたがどれだけ彼にとって貴重な存在になり得たかで、可能性に差が出る。あなたはほかの女性と比べ、どれほど貴重な存在だったかが問われるのである。

いずれの場合でも、会っていない時期にあなたは彼にとってより魅力的になっている必要があるだろう。

6章

「つらい恋」に苦しんでいるあなたへ

——「別れたい、でも別れられない」のメカニズム

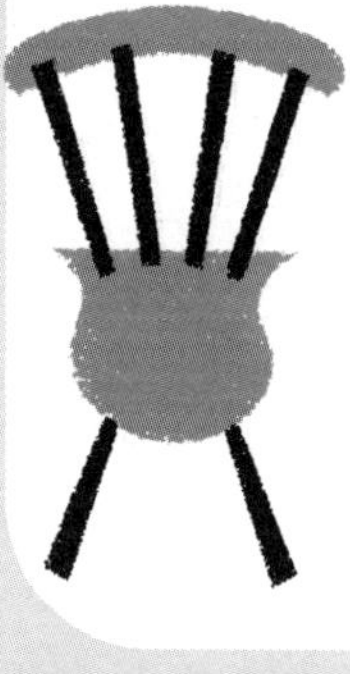

1 不倫について

はじめに、この章は不倫で苦しんでいる人のために書かれており、不倫を楽しんでいる人のためには書かれていない。

また、ここでは基本的なパターンについて述べるが、不倫には特殊なタイプもいくつかある。

それはお互いが完全に割り切って付き合っている関係、たとえばお互いにセカンドラバーであったり、恋愛以外の利害関係があって均衡の保たれているものなどだ。それらに関してはここでは取り上げない。

ここでは特に男性に妻や子どもがいて、女性が独身の場合について述べる。

不倫をしている女性は案外多い。そして、その多くが苦しんでいる。不倫は真剣になればなるほど苦しくなるし、その苦しみは通常の恋愛など問題にならないくらい強い。

なぜなら、相手の二股を完全に認めた上での恋愛だからだ。相手がいくら「おまえを愛している」と言ったところで、恋人には奥さんや子どもがいる。そして友人は誰もあなたの味方ではない。

話せば非難されるか、浅はかだと思われるだろう。週末や誕生日、バレンタインデー、クリスマスなどの特別な日には、彼は奥さんのものになる。

不倫には未来がない。彼はあなたと一緒にいるときだけあなたのものであり、二人の関係は、その時間を楽しむだけのものでしかない。

「はじめは楽しい」から〝無限の苦しみ〟へ……

僕が考える典型的な不倫の流れを書いてみる。

①最初は楽しい。

②しばらくして女性は、その男性を独り占めしたくなり、自分が本当に愛されている

のかどうかを、いろいろな言動で確認し始める。この行為をしなければ不倫は、次の③以降のような流れをたどらない。もちろん、その女性が本当に愛されていることが証明されることはない。なぜなら、その男性には妻や子どもがいて、必ずそこに帰っていくからだ。

③女性の独占欲や愛情を確認する言動に、男性はうっとうしさを感じるようになる。なぜなら、家庭や社会的地位を失ってまで、その女性を愛そうとは思わないからだ。うっとうしさを感じるようになると、男性の心は女性から離れていく。

④男性が離れていくのを見ると、女性は相手の立場を考えてあげられなかった自分を責め、愛されようと努力する。これが最初の苦しみである。

⑤女性に愛されるようになると、男性の愛情はより浅くなる。愛情をかけなくても、女性が愛してくれるからである。男性は努力する必要を感じなくなり、仕事や家庭にエネルギーをつぎ込むようになる。すると、女性は愛情のなくなった男性に愛されるために、より努力するようになる（ここで、もう一度②に戻り、②～⑤までを

くり返す場合もある）。

⑥努力し尽くした女性は疲れ果て、別れを考えるようになる。そして離れようとする。

⑦男性によっては、女性が離れようとすると今度は引き戻そうとする。愛されないと不安になるし、都合のいい存在がいなくなるのは惜しいと考える男性も大勢いるのである。

⑧別れる決心のついた女性は、そこで別れるが、一部の女性は、いつまでも離れられず、時に自己嫌悪し、時に相手を憎みながら、②～⑦の間を行ったり来たりする。その間に、お互いに対する依存度は深まり、離れられなくなる場合も多い。

多くの場合、不倫は、②～⑦でできた輪を行ったり来たりする無限の苦しみと言えるだろう。その輪の中にいる限り苦しみから逃れられない。

2 〝都合のいい関係〟を続けている男性の頭の中

不倫は、結婚している男性にとっては、ある意味で都合のいい、おいしい関係である。そこで、ここでは不倫をしている男性の頭の中を見ていくことにする。

〝彼の優しさ〟は罪悪感の裏返し

まず、彼の優しさは罪悪感の裏返しである。不倫を楽しみたい男性は、相手の女性が理不尽な愛を受け入れていることに感謝し、同時にその立場を貫いてほしいと願っている。そして、その罪悪感をできるだけ感じたくないと思っている。

だから、既婚男性は独身男性に比べ、恋人にとても優しく寛大だ。不倫している女性の多くは、これを魅力の一つと感じている。

しかし、この優しさは自分の罪悪感をごまかすために無理に作られた優しさであるため、不安定なものだ。

女性が彼の求める関係や距離感を受け入れない場合、男性は怒りを感じる。「これほどオレが優しくしてやっているのに、これ以上、何がほしいのだ!」と感じるのである。

もっとも彼らは、その女性が実際に何がほしいのかを知っているのだが、それを見たくないので見ないようにしている。

「相手が自分を好きなのだから、自分に罪はない」

不倫をしている男性は、自分の罪悪感をやわらげるため、二人の関係の行方は、すべて相手が決めているというスタンスをとる場合が多い。

だから男性は時々、女性が自分と別れたがっていないということを確認するために、「オレと一緒にいるとお前は不幸になる」「別れるかどうかは、お前が決めてくれ」などと言う。

これを聞いた女性の多くは、自分が飽きられた、あるいは捨てられると受けとめ、この男性の言葉を否定し、より男性に愛されようと努力する。男性は女性の「別れたくない。あなたを愛してるの」「何でそんなに悲しいことを言うの？　私は今のままでも十分幸せだよ」「ごめん、私、何か悪いこと言った？」などの言葉を聞き、自分の罪悪感を軽減する。不倫は相手が自分を好きだからしていることで、自分には罪がないと考えたいのだ。

男はこんな〝理屈〟で自分を正当化する

このように、男性はどんどん自分に都合のよい理屈をつけ、罪悪感を感じないようになっていく。最終的に彼の心は次のような大義名分を作るだろう。

- 女が自分を愛して別れたがっていないから、自分はこの女と付き合っている
相手が別れたいなら別れればよい
↓だから、自分に責任はない
- 自分はこの女に最大限優しくし、喜びや楽しさを与えている
↓やれることはすべてやっている。だから責められるいわれはない

○この女は自分がいなければ多分ダメなのだろう
↓だから自分は女を助けているのだ

このように、罪悪感を否定するための非常にもっともらしい理屈ができあがることにより、彼の心は安定し、安心してあなたとの時間を楽しめる。しかし、彼が罪悪感やストレスを少しでも感じると、必ず右の大義名分に戻り、怒り出すだろう。

自己防衛本能が、自分の罪悪感に目をつぶらせ、大義名分を作るのだ。そしてそれに反する相手を強く責める。自分が正しいということを無理に信じようとしている心理から、そのような行動になるのである。

しかし、自己防衛に必死になっている男性が女性を愛せるはずがないのも事実である。

自分の生活、家庭、社会的地位を男は守る

不倫している男性が奥さんと別れることは少ない。法律や社会的立場などによって簡単に離婚できないからだ。人がいったん結婚したら、簡単には別れられない。結婚

とはそういうシステムである。子どもがいればなおさらだろう。

浮気が原因の場合、その縛りは最も強いと言ってよい。

一時は男性も離婚を考えるかもしれないし、たとえ考えていなくても「いつか妻と別れるかもしれない」「もし二人でずっと一緒にいられたら、楽しいだろうねぇ」などと言うかもしれない。


でもそれは、たとえ彼があなたに「本気だ」と言ったとしても本心ではない。一瞬の考えか、あなたを楽しませるためのサービストークだ。決して実行には移されることはない。ここであなたが彼の気まぐれや思いつきにしがみつけば、苦しみが増すだろう。

いずれにしても離婚は、実現するにはあまりにもハードルが高い。したがって、あなたが彼に「家庭を壊す」とか「離婚してくれないと別れる」などと脅すようなことがあれば、相手は最終的にあなたを切るだろう。


そのような心理状態にいるので、不倫をしている男性の言葉には相手を動かすためのウソが多い。大義名分で自分を騙し、あなたを飼い慣らすためにあなたを騙す。

そのために常に、ぼんやりとした罪悪感がある男性が多い。

彼の言葉を鵜呑みにしたら、あなたの心は相手に完全に操作されてしまうだろう。

操作される女性は例外なく苦しむ。彼の表面的な言葉に耳を傾けるのは、やめたほうがよい。彼の本音に耳を傾けるべきである。

3 それでも、彼と別れられないあなたへ

これまで、いかに不倫が女性を苦しめ、益のないことかを述べてきた。
しかし、それでもなお、彼と別れられないという人に向けて書くことにする。

〝一時のアヴァンチュール〟と割り切る

まずは、先ほど話した彼の大義名分を理解してあげることである。これをあなたが完全に認めている限り、不倫は通常の恋愛と変わらない。

あなたは決して彼の家庭に触れてはいけないし、彼の本当の生活を脅かしてもいけない。そうしている限りにおいては、何か悩みがあってもそれは不倫の悩みではなく、通常の恋愛の悩みととらえてよいだろう。

今を楽しむのが不倫の極意と言える。不倫に未来はない。そして、結婚というゴールがないため、多くの場合はいずれ終わりが来る。あるいは可能性は低いが、いつまでも不倫相手として社会的に認められない関係を続けることになる。

不倫の未来に関してはいくらでも予想できるし、実際いくつもの例を見ているが、ここでは書かないことにする。

ほかの人がそれに関してはいくらでも助言をくれるはずだ。

しかし、一つだけ考えてみてほしい。人は誰でも歳をとる。肉体的な魅力は永遠ではない。その不倫関係が終わったら、あなたは何歳になっているだろう?

どうしても彼を独占したいときは——

また、不倫相手の気持ちが冷めてしまった場合、彼をもう一度振り向かせたいと思うのであれば、前述した「冷めてしまった彼の心を取り戻す方法」を参考に行動してほしい。相手はあなたのところに戻ってくるはずだ。

ただ、彼が奥さんと別れることはないだろう。そのとき、あなたの心がすでに冷めていたら、これは別れるチャンスである。

彼と別れ、未来のある通常の恋愛を選ぶほうが苦しみは少ないし、賢い選択だと僕は考える。しかし、まだあなたが彼をあきらめないとしたら、未来のない不倫関係がさらに続くことになる。

万が一、相手があなたのことを本当に好きになったら、「私を選ぶか奥さんを選ぶかどちらかにしてほしい」と迫るよりほかない。そうすれば、相手は、どちらかを選ぶはずだ。そのためには相手があなたのことを、本当に好きで好きでたまらない状態にしないと意味がない。

彼をストーカー状態と言えるくらいに夢中にさせれば、彼はあなたのことしか考えられなくなるだろう。そのときに「奥さんと別れないなら、私たちは終わりだ」と彼に選択を迫るのだ。

しかし、それでも成功率は低いだろう。僕のこの方法は「人生におけるほとんどの選択は、一時の強い感情が決めている」という人の性質に基づいて作られているが、離婚という選択はものすごくパワーがいるからだ。

一時の感情で別れることができないように作られた、とても完成度の高いシステムが結婚なのである。

本当に「彼を好きでいられる」のか？

もう一つ心に留めておいてほしいのは、「冷めてしまった彼の心を取り戻す方法」を用いたこの選択は、成功してもリスクが大きいということだ。

彼が奥さんと離婚し、あなたと結婚したとき、あなたと彼は多額の慰謝料や養育費を離婚した奥さんに払わなければならないであろうし、社会的制裁も受けるかもしれない。

この方法を使ったら、後にはひけない。いったん話が進むと元に戻せなくなるのも、結婚というシステムの特徴だ。

また、彼があなたを好きになり、奥さんと離婚し、あなたと結婚するまでに半年から数年を要するはずだ。そのとき、あなたは彼の本性を見るだろう。果たしてそれでもあなたは彼を好きでいられるだろうか？　あなたの感情もまた一時的なものであると僕は言いたい。

離婚するまでの間には、いろいろなことが起きるだろう。だから、この手段はお勧めはできない。

とにかく、不倫をして辛い思いをしているなら、僕はどうしても今すぐに別れることを勧めるだろう。これが一番痛みの少ない方法だからだ。早く別れれば、彼のことを恨まずにいられるだろう。

とは言っても、不倫をしている女性の多くは、それができないだろう。それは、薬物依存の患者か、新興宗教にはまった信者のようなものである。

どこかで何かおかしいと気づいてはいても、彼だけは違うと盲目的に信じようとし、男の口先だけの言葉に踊らされ、苦しみを感じ、恨みながらも彼と離れられないのだ。

今までの例を見ていると、不倫をしている女性が別れを決意するのは、本当に疲れ果てて、突然吹っ切れるパターン、ほかに好きな人ができたパターン、相手に強引に別れを告げられるパターンの三つだ。早くから自分で関係を切ることのできる女性は、最初から不倫で苦しんでいない。

もし本気で別れたいなら、携帯電話の番号やメールアドレスを変え、着信拒否にし、物理的に完全に離れてしまうことだ。アルコール依存症の患者がアルコールをやめるときのように。

ただこの場合、あなたは結果的に、彼に執着心を持たせていることになり、本気であなたを好きになった彼は、必死であなたの心を取り戻そうとするだろう。だが、もし二人の関係が戻っても、また元の泥沼が待っているだけである。

三十歳を過ぎ、不倫相手に捨てられ、相手を恨みながらシングルで一生を終える人生を僕は勧めない。

7章

「男を見る目」を磨く方法

——幸せな恋愛は男性選びから

1 女は男の「サバイバルスキル」と「ケア能力」に注目する

ほとんどすべての人は、感情や衝動にしたがって生きている。

たとえば、理性で相手を選ぶ人など、この世の中にほとんどいない。さらに女性はその傾向が強いと僕は感じる。ダメな男に尽くしたり、尊敬できない相手と結婚し、強い苦しみや、ぼんやりとした絶望感の中で生きる女性は少なくないが、その原因もいっときの衝動に従って行動してしまった結果という側面がある。

そこで、まず女性がどのような男性を選ぶのかを見ていき、その中に見える傾向をここに書いておくことにする。

女性がどのような男性を選ぶかは、大きく分けて二つある。

一つは「サバイバルスキル＝生き残る技術（自己の維持、子孫繁栄の技術）のある男性」、もう一つは、「ケア能力（自分にとって心地よい時間を提供してくれる力）の高い男性」である。

それらを何から感じ取っていくかは、女性によって異なるが、大まかに分けて次のようなケースが多い。

こんな「6種類の男」に女は無条件に惹かれる

①見た目のかっこいい男性――〝全体的な雰囲気〟にも注目

女性は多くの場合、見た目を重視する。それは男性のように、単純に女性を姿形の美しさだけで判断するのと少し異なり、その男性の持つ全体的な雰囲気や生き方を読み取って好きになるようだ。特に年齢を重ねれば重ねるほど、その傾向が強いように感じる。

見た目は二つの部分に分けることができる。一つは生まれつき持っているもの、もう一つは後から身につけたものである。

生まれつき持っているものについては、自分が好きでそうなったわけではない、という視点を持つことが重要だ。彼は好きで太っているのではない。彼は好きでハゲたわけではない。彼はわざわざこだわってニキビ面になったのではないのである。そうなると、その見た目によって本人に何が起きたのかを考えることが重要となる。

たとえば、ある種の外見は劣等感を作る。その劣等感を隠すため、あるいは克服するため、彼は何をしたのかを考える。多くの男性は思春期のあたりからモテるためにいろいろと頑張る。自分の才能を磨いたり、見た目を磨いたり、相手の空気を読み取る努力をしたり、夢を追ったりする。

しかし、かっこいい男性はそんなに頑張らなくてもモテる。むしろ、自分に近づいてくる多くの女性たちをどう断るかに神経を使うだろう。したがって、努力によって磨かれた中身を持たないことも多い。このような男性と付き合ってみて、その軽薄さや、つまらなさに驚く女性も多いだろう。

また、かっこいい男性は女性を大切に扱わないことも多い。女性がそばにいることのありがたみを感じないから、当然起きる結果である。

したがって、もし見た目もかっこよくて、優しく、能力のある男性にあなたが出会えたとしたら、それは過去に大きな傷を持っている可能性がある。あるいは、それなりの理由が何かあると考えたほうが自然かもしれない。

一方、服装や髪型、筋肉など、後から身につけたものは自分が好んで身につけているものであるため、その人の価値観、世界観が含まれている。場合によっては劣等感を隠す目的もあるだろう。また女性にモテたいからかもしれない。

このような、生まれつきのものと後天的に身につけたもの、この二つが合わさってその人の見た目を作っている。

②優しい男性――その優しさは〝欲の裏返し〟かも?

女性は多くの場合、優しい男性を好む。優しい男性は、女性に対して居心地のよさを提供するからだ。女性たちは思う、この男性と付き合えば、ずっとこんなふうに大切にされると。

だが、実はこの手の男性は、女性に優しくすれば女性を得られることを知っている。だから、興味を持った女性には本能的に優しくするのである。目的の女性を見つけるとマメにメールをし、その女性をデートに誘い、その女性のために面白い話をたくさん話したりする。

ところが、これは本当の優しさではない。あなたを得るための欲望がそうさせているだけである。それでもかまわないとあなたは思うかもしれないが、男性によっては、あなたを得た後にすっかり態度を変えてしまう。

それは、頑張って優しさを見せる必要性を感じなくなってしまうからだ。そうなると、一部の女性は出会ったころの優しさを求め、彼に尽くし始める。悪いサイクルの始まりだ。

また、あなたを得るためだけではなく、手当たり次第に女性をつかまえるために誰にでも優しさを見せる男性もいる。このように、優しくするというのは女性を得るのに最も効率のよい方法と言えるかもしれない。

つまり、多くの場合において優しさは、男性の欲望の裏返しにすぎないということだ。

かといって冷たい男がよいというわけではない。あなたに興味があるにもかかわらず冷たい男は、優しくしなくてもモテると確信している場合が多い。いつもは冷たいが、時に不器用で時に優しい、そういう戦術を持っているにすぎなかったりする。

僕が言いたいのは、本当に優しい男性などまれであるということ、優しさは付き合い始めて関係が安定したら消えてしまうかもしれないことを知っておきなさいということだ。

③能力のある男性――〝あなたのため〟にどれだけ力を尽くしてくれるか

一部の女性は、能力のある男性を好む。同じ職場で仕事のできる男性、音楽やテニスなど趣味の分野を極めている男性、お金のある男性、医者や博士号などの資格を持った男性、問題を解決する能力の高い男性。それは付き合う上で、とてもよいことだと思う。

だが、知っておくべきことは、能力があることと、それをあなたのために使うかどうかは別問題ということだ。

彼は仕事や趣味など自分の能力を発揮する場所にどっぷり浸《つ》かり、あなたを顧《かえり》みないこともあるだろう。能力のある男性と付き合う孤独な女性は、世の中にたくさんいる。

あなたがこの本にある、いくつかのスキルを身につけることで、相手がその能力をあなたのために使うようになるかもしれないが、それでも変わらない場合、彼のその能力はあなたにとってほとんど無意味であると知るべきだ。ステイタスや生活の安定のために彼を得たいなら話は別だが。

また、いったん彼の能力に惚れ込むと、彼がすべてにおいて優れていると勘違いする人が多いが、たいていの場合はそうではない。

たとえば、彼は仕事はできるが、お金にだらしないかもしれない。彼はお金はあるが、女性の心を理解する能力がないのかもしれない。高い能力を持つ男性は、多くの女性を引き寄せ、彼の周りにはいつも魅力的な女性がいるから、特定の女性に対して誠実さや優しさを持ちにくくなるだろう。

その場合、その男性から愛され続けるためには、多くの苦労を強いられることになる。


さらに、能力があるように見せているが、実はたいした能力もない男性もたくさんいる。多くの男性は女性が男性の能力に惹かれることを知っているため、特に女性の前になると彼らは自分の能力をアピールしたがる。

たとえば、仕事ができるかどうかなどは、一緒に働いているのでない限り、見極めるのは難しいかもしれない。

あなたが思う「能力のある男性」を、このような視点で一度見直してみるのは悪くないだろう。実は、ほとんどすべての場合、あなたが「能力のある男性」と見ている男性は、ただの普通の「どこにでもいる男」にすぎない。

④夢のある男性――夢を〝言い訳〟にしていないか？

夢を持つ男性を好きになる女性は多い。そして女性に夢を語る男性は多い。しかし夢ほど当てにならず、厄介なものはないと僕は考えている。

まず夢は二つの側面を持っている。一つは具体性のある人生の目的としての夢、もう一つは今の自分のありようを認めたくない人が語る〝言い訳〟としての夢。この二つは同時に存在しているのだが、相手の行動を冷静に見れば、よりどちらに傾いているかがわかる。

たとえば、「社長になるのが夢」と言っている男性がいたとする。彼は、そのための努力を具体的にしているだろうか？　今の自分の情けない立場を、「社長になる」などと夢を語ることでごまかしている男性はとても多い。しかも、本人はそれがごまかしであることにすら気がついていない。

フリーターで何もしていないのに、将来の途方もない夢を語る男性はその典型だが、定職についている男性の中にも現実逃避をしている人はたくさんいる。かつては堅実で具体性のある夢だったのに、徐々に自分をごまかす言い訳に変わっていく人も多いだろう。

念のために言っておくが、戦略のない形だけの努力は努力ではない。それは、自分を上手にごまかすだけの言い訳でしかない。

一部の女性はそれが見えずに「夢がある男って素敵」と思ったりする。今の自分を認められない言い訳だけの夢なら、夢を持たずに現実を生きる人のほうが、よっぽどサバイバルスキルを持っていると言えるだろう。

彼の行動を冷静に見なさい。そうすれば彼の夢が本物かどうかがわかる。

〝夢の足手まといになる女〟は嫌われる

一方、本当に夢を実現しようとする男性にとって、夢は存在理由だ。それを失ったら、生きている意味を失うこととなり、とても苦しい。それが恋人であろうが誰であろうが、邪魔をされるとその相手と縁を切ることだってあるので、そのような男性の夢の取り扱いには注意しなければならない。

また、本当に夢に向かう男性は、あなたに割く時間がないことが多いので、もし彼と結婚したら、あなたは孤独な人生を送るかもしれない。この場合、彼があなたをどれだけ大切に思っているのかが重要となるだろう。彼が今あなたに時間を使っていないのなら、今後もその可能性が高いと言える。

彼がもし一人で夢を追いかけるタイプで、かつ、あなたが彼の夢を理解できないのなら、彼はやがてあなたか夢かのどちらかを選択するだろう。

そして、このような男性は生活も精神状態も不安定な場合が多い。突然、完全に孤独になろうとしたり、約束していた結婚を取り消してしまったりする。それをあなたは支えることができるだろうか？　夢のない安定した男性のほうが、経済的にも精神的にも楽ではないか？

また、二人で同じ夢を追うというパターンもある。彼が夢を現実にする能力があり、あなたと二人でその夢を追う場合、二人の関係はうまくいくだろう。

ただし、一つ注意することがある。それは多くの場合、彼が夢を追うその分野でのあなたの無能さを知っておかなくてはならないということだ。

能力のある男性の奥さんが、その男性の仕事に中途半端に関わり、周りを不幸にするパターンの何と多いことか。

たとえば、男性が能力のない自分の奥さんを重要なポストにおき、えこひいきをすることで、周りを苦しめ、歪んだ人間関係を作るケースは非常に多い。それは最終的に二人を不幸にするだろう。

⑤誠実な男性――束縛男、傷心男には注意

恋愛で傷つき疲れきった多くの女性は、「誠実な男性」を求めるが、この誠実な男性にも、少なくとも三つのタイプがあると僕は考えている。

- 恋人を縛っておくのに必死になっている男性
- 非常にモラル意識の高い、浮気ぐせのない男性
- 過去に恋愛で相手を傷つけ、自分も深く傷ついた男性

最初のタイプは、二十代前半以前や恋愛経験の少ない人、ぜんぜんモテない人、魅力のない人に多い。

彼にとってあなたはとても魅力的で、あなたが離れていきやしないかと、いつも不

安に思っている。このタイプの男性は束縛がきつく、相手が自分の思い通りにならないと苦痛を感じる。あなたを心配するメールにも、返事が来ないと怒り出したりする。自分勝手で「オレがここまで愛しているのに、どうしておまえはオレを愛せないんだ？」というタイプだ。

二番目のタイプは、相手にも同様の高いモラルを求めてくる場合がほとんどだ。モラルに対する価値観が同じならよいが、時に女性は非常に窮屈に感じ、逃げ出したくなることもあるだろう。

最後のタイプは、あなたにとって、とても居心地がよいものとなるだろう。だが、居心地がよいがゆえに相手を気遣うことを忘れてしまうと、彼は疲れ果て、ついには別れを切り出してくるかもしれない。その点では注意が必要だ。

注意すべきことは、いろいろな刺激がなければ、彼がこの三つのうちのどのタイプかが見えてこない可能性があるということだ。特に二人がうまくいっている間は気づかないかもしれない。

また、ここであなたが知っておくべきことは、「誠実さ」がこの章の最初に述べた「サバイバルスキル」とは関係がないということである。そして、あなたは誠実な男性に対し、冷静になりやすいということだ。

あなたは彼に「サバイバルスキル」があるかどうかを冷静な目で判断し始める。そして、彼にあなたが望む「サバイバルスキル」がないと感じたとき、あなたは目の前にいる相手に興味を失ってしまうかもしれない。

男性としての魅力を感じなくなると、とたんに女性はその男性を好きでなくなってしまうことが多い。気持ち悪いと感じることすらある。

これが恋愛関係なら別れればよいのだが、結婚した後だと苦労するだろう。

これまでのことをまとめると、女性は次のような基準で男性を選ぶのだと僕は考えている。人によって好みはさまざまだが、共通して言えることは、

- 女性は相手が「サバイバルスキル」を持つと感じたとき、その男性を好きになる
- 自分に居心地のよい環境を作ってくれる男性を好きになる
- 自分を必要としてくれる男性を好きになる

ということだろう。この三つはそれぞれが独立に存在していて、女性は恋愛を続け

る限り、時に傷つきながら、それらの選択肢の間をさまよう。

ちなみに居心地のよい環境を作る男性のなかには「価値観の合う男性」「等身大の自分でいられる男性」などが入っていて、それらも女性が男性を選ぶときの大きな基準になっていると思われる。

2 「心の傷」が次の恋愛相手を限定する

次に、女性が男性を選ぶとき、心の傷が次の恋愛相手を限定する場合があるということについて述べる。人は傷つくのをとても恐れる。辛い思いは二度としたくないからだ。ところが、この強い感情が新たな傷を作ることがある。

一部の女性は、本当に傷つくまで同じタイプの男性を求め続け、とことん傷つき嫌気がさしたときに、今度は極端に逆の相手を探すようになることがある。

前の相手がまったく働かないヒモのような存在で、それに嫌気がさして別れたのなら、女性は次に、やけに堅実な男性を探す。前の男性が暴力を振るって嫌気がさしたのなら、次はものすごく優しい男性を求める。

恋愛で傷ついたことのある女性は思い出してみてほしい。今、無意識に探している男性は、これまであなたを傷つけた男性と逆のタイプではないだろうか？

たとえば、前の相手が浮気性でそれに傷ついた女性が、次にとても正直で一途な男性を選んだ場合、彼は浮気をしてあなたを傷つけることはないだろう。

しかし、正直で一途であること以外はまったく自分の好きなタイプではない場合でも、失恋直後にはそれに目をつぶってしまうことがある。目をつぶるというより、そのときのあなたは、彼が浮気性かそうでないか、という基準でしか相手を見ていないのだ。

その男性があなたにとても優しく、積極的に迫ってきたら、あなたはそこで手を打ってしまう。そして、やがて気がつく、自分はその男性をぜんぜん愛していないことに。そしてお互いに傷つき、別れる。そして、今度はどうするか。また以前に失敗した浮気性の相手を探してしまうのだ。このような悪循環をくり返す女性は案外多い。

「恋人に求める条件」が高くなりすぎる女性

また、いろいろな恋愛で傷ついた女性の一部は、恋人に求める条件が極端に高くなり、相手が見つからなくなるということも起こる。同時に失敗への恐れも強くなる。

恋愛なんてしないほうが楽と思う人も現われるだろう。

人間というのは、とにかく痛みを避けるようにできているようだ。

たとえば、これまで「能力のある男性」や「夢のある男性」を好きだった女性が、その男性に相手にされないという経験をすると、その痛みから、自分をケアしてくれる「優しい男性」や「誠実な男性」を求めたりする。

逆に、「優しい男性」や「誠実な男性」の生活力のなさに失望し疲れた女性が、次に「能力のある男性」や「夢のある男性」を選ぶこともあるのだ。

「いつも同じタイプの人と付き合ってしまう」原因はどこにある?

ここで、あなたがもし自分の選択で困っているなら、まずあなたが考えるべきことは、**「相手の欠点は相手だけに問題があったのか?」**ということだ。

たとえば、尽くしすぎる女性はダメな男性を作る。あなたがダメだと思っていた男性が、別の女性の前では頑張ったりすることもある。

また、男性を尊敬できない女性は、目の前の男性の自信、やる気を失わせ、より能力のない男性にしてしまうこともある。ところが、同じ男性が別の女性の前では、できる男になったりすることもある。

あなたが見ている相手の性格は、その人だけで作られているのではなく、必ずあなたが関わっている。**あなたと恋人の相互関係が、お互いの人格に強く影響を与えるのである。**

あなたが付き合う相手が、いつも同じ問題を持つなら、あなたの選び方に問題があるかもしれないし、あなたの男性への接し方、付き合い方に問題があるのかもしれない。

〝失恋した後〟の男選びには細心の注意を！

そして次に、バランスのとれた、自分が本当に求める男性を探すことを考えよう。

自分が本当に尊敬できる男性、自分が求める男性をもう一度考えてみてほしい。

これまで僕は、大失恋をした後に、優しいがまったく尊敬できない男性と結婚してしまう女性を何人も見てきた。それらの女性は、結婚してから自分が相手をまったく尊敬できないことに気づいてしまう。

そうなると、子どもができたときに、母親は子どもだけに愛情を注ぐ。これは子どもに依存することに近い。このことはお互いにとって不幸を生むだろう。最終的に息苦しさを感じた子どもからも愛されなくなれば、母親はすべてを失うことになる。そして、子どもができなければ、離婚するか冷え切った夫婦関係のまま老後を迎えることになるかもしれない。

選択のパターンは、因果律となり、その人の運命を決めてしまう。因果律については、続く8章でくわしく説明するが、このように自分の心の動きを知っておくことは意味のあることだと僕は思う。

多くの女性は流れの中にいて、自分が見えていない。苦しいだけで、どう逃れたらよいかわからない。どう行動するかは別として、自分の心の動きを知っていることが、恋愛で失敗しない秘訣の一つだと僕は考えている。

3 こんな男を選べば間違いない

結論から言えば、「どんな男性を選ぶべきか」という問いに関して僕が思うのは、次の二つである。

1 恋愛で痛みを味わい、そこから学んだ男性

一つ言えることは、「恋愛で痛みを味わい、そこから学んだ男性を選ぶとよい」ということだろう。恋愛経験の少ない男性と付き合うと、苦しむ場合が多い。それは彼が悪い人間である、ということではなく、経験が少ないがゆえに、女性と付き合うときはどうしたらよいかがわからないのだ。

多くの人は過去の痛みから学び、次にする恋愛で優しく寛大になれる。すでに痛みを経験した男性を選べば、あなたは辛い思いをすることが少なくなるだろう。

ただ、女性経験が多い男性の中にも、一人の女性と長い付き合いのできない男性がいる。そのような男性は、相手を苦しめる何かを持っている可能性がある。気をつけたほうがよいだろう。

彼らの過去の恋愛遍歴を知ると、彼の女性に対する考え方を垣間見られるかもしれない。ただし、男は恋愛遍歴に関して時々ウソをつくので、注意が必要だ。周りの人などからうまく聞き出すことも重要だろう。

② 「絶対に受け入れられない面」を持たない男性

人間にはどうしても変えられないもの、変えにくいものがある。

ある男性は一生を通じて、お金にだらしないだろう。ある男性は、どうしても禁煙ができないだろうし、ギャンブルをやめられない。ある男性は、とても神経質。ある男性は、浮気性である。そしてある男性は、不潔であったりする。

あなたは男性のそれらの性質を変えることはできないと思ったほうがよい。付き合って間もない、二人がラブラブの時期には、彼らは気をつけるかもしれないが、その多くはやがて元に戻る。

また、多くの場合、無理にあなたが彼を変えようとすると、やがて彼はあなたとの別れを考えるようになるだろう。つまり、相手があなたにとって許せない性格、特徴を持っているのなら、最初からそれらの男性は選ばないほうが痛みは少ない。

❋付き合う前に〝彼の本質〟を見抜くコツ

相手があなたを口説き落とそうとしているとき、その相手の本質は見えにくい。彼はとても優しく、何でもしてくれ、たくさん楽しい会話をし、言うことを聞いてくれる。ほかの女性の影が見えても、そのことを聞くと誤解だと言い、あなたのことしか考えられないと言う。

女性にアプローチをしている男は、もう俳優であるとしか言いようがない。彼の本質は、付き合い始めてしばらくしてから現われるはずだ。

では付き合う前に、あなたは彼の本質を見抜けるだろうか？　実は見抜ける。あなたは無意識のうちに目をつぶって見えないふりをしているのである。

本当のあなたは感じているし、わかっているのだ。周りの人たちの噂や評価をあなたは聞いている。彼の言葉と行動の違いを感じている。彼の部屋にある「証拠品」を見つけている。

それらの情報から彼の本質を読み解き、その彼を受け入れられるかを考えてみよう。

8章

「運命」と「縁」について知っておきたいこと

——あらゆる人間関係にあてはまる絶対ルール

1 あなたの恋を支配する「因果律」

この章では、運命に関して僕が思うことを、特に恋愛に特化して話しておきたい。

- ある女性は、いつもダメ男ばかりを選ぶ
- ある女性は、変な男にばかり惚れられる
- ある女性は、最初はうまくいくのに、付き合うとすぐに飽きられる
- ある女性は、飽きられなくなった代わりに、自分を偽り恋愛を楽しめなくなる
- ある女性は、結婚適齢期を過ぎ、ダメ男を選ばなくなった代わりに、誠実だがつまらない男性と結婚し、やがて後悔する

このような運命を決めている大きな要因の一つを僕は「因果律」と呼んでいる（仏

教で言う因果とは関係がない)。因果律とは、「一切のものは何らかの原因から生じた結果であり、原因がなくては何ものも生じない」という法則である。それぞれの女性がそれぞれの因果律をいくつも持っていて、それがその人の運命を決める重要なカギとなっている。

見た目の美しさが作る因果律を例にとる。

美しい女性は、多くの男性を無差別に引き寄せる。多くの男性を苦労なく手に入れられる代わりに、セクハラを受けたり、ほかの女性の嫉妬を受けたりするかもしれない。努力しなくてもモテるので、人間的につまらなくなったり、空気が読めない人になったりする原因ともなりうる。また、彼女の外見にだけ惹かれる男性もいるため、彼女は彼らに物として扱われるようなこともあるかもしれない。すると、彼女は男性と付き合うたびに、相手の愛情を確かめるようなことをしたりする。その行為は時として「嫌なやつ」という印象を周囲に与えるだろう。

やがて歳をとってくると、彼女は今までと勝手が違うことに気がつく。美しさを失う不安が彼女を襲い、愛されなくなる不安が彼女を襲う。

「見た目の美しさ」一つをとっても、これだけの因果を生み、ここまでの運命を引き寄せる。実際は一つだけでなく、いくつもの因果律が複雑に絡み合って、その人の運命を作り出していくのだ。

〝同じような恋愛〟を引き寄せるメカニズム

僕たち一人ひとりの運命の大部分を決めているのは、このような因果律であると僕は考えている。

因果律は、たとえば、お金、両親の影響、性格、見た目、兄弟構成、知性、EQ、道徳心、常識、健康、運動能力など、個人の持つあらゆる要素から成り立っている。この因果律が、その人の運命を決める重要なカギとなる、その人の行動や思考のパターンを決める。

そして同時に、他人がその因果律を持つ人にどのように関わるかも決めるのである。

因果律の形成において、最も運命を変える力を持っている要素の一つが、行動と、行動によって生まれる性格、性格によって作られる人格と言えるだろう。

冒頭に挙げたような恋愛をくり返す女性たちは、自分たちの人格によって、そのような運命を大きく引き寄せていると僕は考えている。

「自分の本質」を知ることで運命は予測できる

しかし逆に考えると、因果律を形作る要素を操作することにより、運命は変えられるということになる。したがって、重要なことは、まず**自分の持つ因果律の中身を知ること**である。自分を知ることが運命を予測し、そして運命を変えるきっかけとなるだろう。

ただし、ほとんどの人は自分の持つ因果律に気づかない。原因を外に求めている限り、その人は自分の因果律の作り出す運命に翻弄されるだろう。そして、往々にして人は原因を外に求めるように作られているし、うすうす気がついている人でも、それがどれだけ自分の人生を決めているのかが、わかっていない。

せいぜい「自分には悪いところがある」くらいにしか考えていないのである。自分の因果律が、友人を選び、特定の恋人を引き寄せ、今の職場を決め、心の安定性まで支配しているにもかかわらず、だ。

さらに、それらすべてに気がついている人でも、それを変えていくことは難しい。

では、その因果律はどのようにしたらわかるのだろうか？

2 人生の選択は「理性」ではなく「感情」がしている

人間の選択とは面白い。

たとえば、あなたが今誰かに恋をしているのなら、あるいはあなたが今とても傷ついているのなら、「こんな男性を選べば幸せになれる」と言われたところで、ほとんど意味がないだろう。

頭でわかっていても、感情がほかの選択肢を消してしまうからだ。


たとえばルックスを重視する女性は、よっぽど痛い思いをしない限り、不細工な男性を好きになるなんて不可能だ。人によっては不細工な男を見て、気持ち悪い！　とすら感じるだろう。まして性の対象になることなどありえない。

だから、あなたは思い知る――人生の選択は「理性」ではなく、「感情」がしているのだと。

したがって、運命を変えるカギが自分の中にあるにもかかわらず、ほとんどの人は運命を変えることができない。

〝重要なこと〟ほど「好き嫌い」で決めている

人間は成長の過程で自分の選択のスタイルや考えを、固めていく。

あなたの選択のスタイルは、これまでの経験や世界観が作り出した「サバイバルスキル」そのものである。

生き物の根本としてある「サバイバルスキル」と直結しているから、ここまで強く感情で縛られているのだ。

そういうわけで重要な選択は常に感情が行なっている。**重要な選択になればなるほど、感情があなたを支配する**。好き、嫌い、気持ち悪い、かっこいい、惹かれる、逃げ出したい、うっとうしい、合わない、間違っている、よい、悪い……など。

「私は物事を感情ではなく論理で決めている」と信じている人は「論理的に決める」という選択のスタイルを持っているにすぎない。また、何を選択するかには目的が必要であり、何を目的にするかを明確にしなければ、論理は成り立たない。その「最終的な目的」の決定に、論理は存在しない。

だから、論理的な選択をしたつもりで不幸になる人は、世の中にはたくさんいる。


というわけで、人にはまず「根本的な欲望」がある。これは人間すべてに共通している。それが「感情」を沸き立たせる。そして、その感情の意味を解釈し、満たすための「選択のスタイル」を意識的にあるいは無意識的に持っている。これは個人が持つ「サバイバルスキル」に依存する。

これらが合わさって人生の選択を決めているということになる。そうやって進化していく中で、人類は生き残ってきたのだろう。

〝痛み〟を経験するから「新しい自分」になれる

さて、この「選択のスタイル」は絶対と言っていいほど変えられないのだが、唯一がらりと変えるきっかけとなるのが極度の痛みと、それに続く出会いである。

なぜならば、生物学的に見れば「痛み」とは、「おまえのこれまでの生き方だと生き残れない、選択のスタイルを変えなさい！」という強烈な信号だからだ。

そこに新しい選択の対象や新しいスタイルが飛び込んだ場合、人はそれにすがりつくことになる。この変化は生き物として自然である。

また、選択のスタイルを変えるキッカケとなる出会いの対象は、人とは限らない。

たとえば、恋愛で男性に尽くし、ひどい目に遭ったときに巻末でも紹介している『ルールズ』という本に出会い、目から鱗が落ちる。それを読んだ女性は運命を感じ、『ルールズ』にしたがって生き方、選択のスタイルを変える。

ところが『ルールズ』という本は男性のある限られた一面を描き出しているにすぎないため、人によってはこの本のスタイルを盲目的に取り入れることで別の痛みに襲われる場合がある。

したがって、幸せになりたいのなら、痛みの中にあるときに、何を選択し、この経験をどう消化して身につけていくかを自分自身に問わなければならない。そこを間違えると別の苦しみに襲われることになる。

痛みの中、苦しみの中にいるとき、あなたが新しいスタイルとの出会いを求めれば、多くの人や書物が自分の信じるスタイルを提案したり押しつけてきたりするだろう。

彼らは本気で提案しているし、それらが正しいと信じている。しかし、その提案者はあなたではない。あなたと彼らは価値観も、何を幸せに感じるかも、経験も何もかもが違うのだ。

多くの人は、ほかの人も自分と同じ世界観を持っていると信じている。それどころか、自分と違う世界観が存在することすら知らない。

本質を見抜かずに安易な答えを求め、それらの提案を鵜呑みにしていくことは危険だろう。

「いらないものは捨てる」勇気を持つ

あなたが幸せを得たいのなら「あなたにとって何が幸せなのか?」を知ることこそが重要となる。自分を知り、自分の世界観を知り、自分の選択のスタイルを知り、それがどのような経緯でできたのかを知ることだ。そうすることで、あなた自身の大きな選択の方向性が決まることになる。

そのときでさえ、あるものを選び、あるものを捨てるには勇気がいるだろう。しかし、必要のないものは捨てる必要がある。そうしないと両方を失うことになりかねない。選択しないことも選択の一つなのだ。

あなたが痛みの中にいたら、まず自分を知りなさい。

自分の選択のスタイル、思考のスタイルを知ること。そのうえで、何に出会うかが問われていることを知りなさい。

世の中で「幸せな人」や「成功者」はかならず、自分のスタイルに合った完成度の高い人物やアイデアと出会っているはずだ。それは、その人の幸せと直結する出会いであろう。

要は、あなたは自分を知り、その自分に合ったよい出会いをすることである。そうすることで当面は幸せになれるはずだ。

3 人と人を結ぶ「縁のパワー」

縁というのは仏教でよく使われる言葉だが、ここでは「人と人を結ぶ、人力を超えた不思議な力」（三省堂『デイリーコンサイス国語辞典』）を指すことにする。

よく女性が神社や寺で「縁結び」のお守りを買っているが、そんなお守りよりも、ずっと効果があると僕が信じていることをここで話そうと思う。

ほかの章で僕が書いてきたように行動したとしても、好きな人を手に入れるのは難しいものだ。そして、恋人とずっとよい関係を保つことも、簡単ではないはずだ。

なぜなら、恋愛に限らず、人間関係は「縁」によって決められていると僕は信じているからだ。

しかし、僕たちは**自分自身が持つ因果律を変えることにより、ある程度は、縁をコ**

ントロールできる。その一部を僕はこれまでの章で述べてきた。

しかし、縁を完全にコントロールすることは不可能である。縁がないのに、相手にしがみつこうとするから苦しむのだと僕は考えている。

ただ、「縁」の性質を知ることで苦しみが減り、さらに因果律を変えることができるようになる。それにより、ある程度「縁」をコントロールできるようになるだろう。

なお以降の文章は、ほかの章を読んでいることを前提に書く。この話題は、これまで僕が述べてきたことを身につけて初めて意味を持つものだからだ。もしそれらを読まずにこれを読み実践したのなら、あなたはより悲しい結果を得るかもしれない。男性を知り、自分を知り、縁を知るという順番が正しいと僕は考えている。

「4つのあきらめ」を知ると彼との関係が変わる

次に挙げる四つのあきらめを知るだけでも苦しみから逃れ、縁をよい方向に変えることができると僕は考えている。

すべてが手に入るわけではない

- 出会った人は必ず別れる
- すべては一時的で次々と変化していく
- 手に入れたもので満足するものはない

次に詳しく述べる。

1 すべてが手に入るわけではない

これを知ることにより、恋愛の戦略が変わる。

まず、あなたは欲しい男性を必ず得られるわけではない。いくら努力しても、手に入らない男性がいることを知るべきだろう。

彼が望むレベルの魅力をあなたが持っていないのなら、彼を手に入れられる可能性は極めて低い。あなたが本気で好きになった男性が妻子持ちなら、それもあきらめるべきだろう。その男性は、ほとんどすべての場合、あなたに苦しみしか与えない。

また、一人の男性に強く執着すると、とにかく苦しむ。相手に心を読まれてコントロールされたり、切なく苦しい思いをしながら、彼を得るために長い年月をムダに使うことにもなりかねない。

＊一人に執着しないから、多くの人と巡り合うチャンスが増える

ではどうするか。一つの提案として、あなたは複数の恋人候補を常に持っているとよいだろう。その中であなたを好きになる人を選べばよい。そうするだけで、ずいぶん楽になる。

あるいは、あなたにとって意中の男性を手に入れられなければ、すぐにほかの男性に切り替えるべきだ。切り替えるといっても一人を完全にあきらめずにキープし、ほかの男性を探すことに力を注げばよい。

そうすれば、またチャンスが巡ってくるかもしれないし、一人の男性に執着しないことにより、その男性を手に入れられる可能性も高くなる。恋愛回路が小さくなるからだ。結果的に、あなたは一番好きな男性を含め、周りのすべての男性を得やすくなるだろう。

＊〝運命の人〟は存在しない⁉

信じられないかもしれないが、あなたにとっての運命の人など、実は存在しない。

「運命の人」は、ある特定の事象が起きたときに、人間が勝手に感じる幻想であり、「あなたが執着している人」という意味にすぎないのだ。

人生は短い。不可能な選択肢にエネルギーを使って、いたずらに時間だけを費やすことはない。

相手が手に入る男性か、手に入らない男性かは、ほかの章で僕が書いた文章を読めばわかるだろう。また巻末に勧めるよい恋愛指南書を読むことで、さらに深く理解できるようになる。自分の因果律を変え、恋愛のスキルを高めることで手に入る男性が増え、相手が手に入るか入らないかの判断も正確になる。

「すべてが手に入るわけではない」という考え方は、それらの方法と同時に成り立っている。それを知ることで、あなたに本当に合う男性に巡り合うチャンスが増えるのだ。

2 出会った人は必ず別れる

今あなたに恋人がいるなら、「出会った人は必ず別れる」という事実を知っておくべきだ。運よく結婚できたとしても、やがては別れる。それは離婚という形かもしれないし、死別という形かもしれない。

だから、まず自分を大切にする。何がどうあっても自分とは一生付き合うからだ。同時に、いつ離れるかわからない相手を大切にする。相手がどうしても自分と合わなくなったら潔く別れる。

相手に振られても、「出会った人は必ず別れる」という事実を知っていれば、受け入れやすくなるし、執着を減らすことにより、結果的に相手のことを大事にできるはずだ。

もし「出会った人は必ず別れる」という事実を受け入れられずに執着すると、恋愛関係を破壊に導くような行動をしてしまいやすくなる。彼に執着し何度も電話やメールをしたり、「私のどこを変えたらいいの?」と彼にすがったり、「別れても友達でいてくれるよね」と無理に彼との関係を続けようとしたりする。

こうした執着する行動が、かえって別れへのスピードを加速してしまうだろう。

不思議なことに、「出会った人は必ず別れる」ことを知っていると、二人の関係は長く続く。共に過ごす時間の一瞬一瞬を大切にできるし、自分を大切にできる。彼が距離を置きたいと言ったときも受け入れられる。

そして、二人がうまくいっているとき、あなたが彼を大切にしていれば、そのことを覚えていた彼が戻ってくるかもしれない。

つまり「出会った人は必ず別れる」ことを知ることで良縁を得るのである。

3 すべては一時的で次々と変化していく

片思いに関しても、今は想いの伝わらない彼がやがて手に入るようになるかもしれない。

すでに恋人のいる女性も、ずっと同じ付き合いが続くと信じていると、やがて苦しむことになるだろう。

また、あなた自身も時を経て次々と変わっていくことに気がつかないといけない。あなたは若いとき、いとも簡単に異性を惹きつけたかもしれないが、同じ戦略が今も通用するとは限らない。なぜなら、あなたが歳をとったからだ。

すべてのものは刻々と変わっていく。それを意識し受け入れることで楽になるし、その時々の自分たちの戦略を変えていくことで得るものが多くなる。今の自分を知り、今の自分にあった戦略を練ることである。

❋彼の心も変わる、あなたの気持ちも変わる

変わってしまった相手があなたを苦しめるなら、それは以前の彼と違う人物だと考えるべきだ。彼がそうなった原因の一端はあなたにあるのだが、とにかく、あなたがあまりにも苦しいのなら、彼から離れるべきだ。

彼は、あなたがかつて愛していた彼とは別の人物である。「彼は変わらない」と思っていたのは、あなたの錯覚だったのだ。「出会った人は必ず別れる」ことを受け入れ、「すべては一時的で次々と変わっていく」ことを知ろう。

このように人の気持ちや関係性は日々、変化していくことを知ることで、あなたは良縁を得やすくなり、縁を持続させられるだろう。

4 手に入れたもので満足するものはない

あなたは、せっかく恋人関係になった彼に、やがて満足しなくなるだろう。

どうやら人は「手に入れたもので満足しない」ように創られているようだ。それを

知っておくと、あなたは彼に多くを求めなくなるだろう。

それを知らない女性は、相手から限りなく満足を得ようとする。あなたを満足させることに力を注がなくなった相手にもっと会ってほしい、もっと電話してほしいとせがみ、彼を成長させたいがため、ダメ出しやら注文をする。

しかし、これらの行為はほとんどの場合、彼を離れさせる原因になる。

あなたが本気で好きになった相手と、もしも付き合えたとしても、幸せな期間は短い。

満足な関係を続けるためには、多くの努力が必要である。それは「相手を変える」ことでなく「自分が変わる」ことである。一番よい手段は何か？

それは、**相手に期待しない**ことだ。

- 相手はあなたを助けてくれない
- 相手はあなたを癒してくれない
- 相手はあなたのために存在していない

相手に期待しないことで、あなたは相手にもっと優しくなれるし、相手を許せる。

彼に期待しなくなると、あなたは彼の優しさに素直に感謝できる。彼が何もしなくても何の不満も感じない。それが普通だからだ。「手に入れたもので満足するものはない」ことを知れば、相手に期待しなくなり、よい縁を持続できるようになるだろう。

「最善を尽くしながら期待しない」——良縁の法則

この四つのあきらめを持ち、自身の因果律を知ることで、あなたは縁をよりよくすることができるはずだ。

また、あなただけではなく、すべての人がそれぞれ独自の縁を作るもと、因果律を持っている。あなたの好きな人、あなたの恋人も例外ではない。彼が悪い因果律を持っていて、この四つのあきらめを知らなければ、彼はあなたを苦しめるだろう。

また、病気や事故、不測の事態が縁を一瞬で変えてしまうことがある。そして、突然の出会い、痛み、それによる考え方の大きな変化が縁を変える。

それらは相手の身に起こるかもしれないし、あなたに起こるかもしれない。これらは予測不能であり、人がコントロールできるものではない。

したがって我々は、それらを含めて最善を尽くすと同時に、あきらめの心を持つ。

それにより、良縁を得る可能性を高め、良縁を続ける可能性を高めるのだと僕は信じている。

「祈り」の気持ちは恋愛運にも効く

実は「縁」を変えるもう一つの方法がある。

それは「祈り」である。

これは書こうかどうか迷ったのだが、とても意味があり、効果的なので、あえて書くことにする。ちなみに僕はいかなる宗教にも属していないし、いかなる神も信仰していない。これは自分の経験と、マーフィー、ナポレン・ヒル、ジェームズ・アレンなど多くの成功哲学者の考えをもとに僕が作った方法である。効果は保証する。

あなたに好きな人がいる場合、あなたが復縁したい人がいる場合、祈りはとても意味がある。あなたが信仰している神様がいるのなら、それに毎日祈ることだ。

「あの人が私のことを好きになるようにしてください」

「彼ともう一度付き合わせてください」
「理想の男性を手に入れるためのヒントをください」

あなたが特に何も信仰していないのなら、お守りでもだるまさんでも十字架でも何でもよいから、自分が信じられそうなものを自分のベッドなどのそばに置き、毎日祈ることだ。

毎日毎日祈る。そのときに重要なのは「神様なら願いを叶えてくれる」と確信することだ。

いくつかの成功哲学によれば、人間というのは、何かが自分にできると一〇〇％潜在的に信じられたとき、それができるようになるそうだ。

しかし、失った恋人を取り戻せると心の底から信じられる人がいるだろうか。普通はいないと思う。

だから「神」という絶対的な存在に毎日、毎日祈る。祈りは本当に効く。

そうすることで、実は縁の性質が変わる。縁とは「人力を超えた不思議な力」を含んでいる。それを我々が少しだけ変えることができるのだ。

僕の経験では、毎日欠かさずに朝と夜に祈っていた場合、祈り始めてから一カ月程度で何かが変わってくる。そして三カ月以上たつと、何か具体的な手応えが得られるはずである。ただし、これは欠かさずに祈った場合の話だ。一回でも忘れたら一からやり直しである。

そして、一回に最低でも五分は祈ってほしい。手を合わせてきちんとした姿勢で祈ることだ。そうすると、その願いが叶う確率が格段に高まる。神がいるかいないかは関係ない。本気でそれをやると、叶う確率が高まるのは事実だ。

ちなみに、これは恋愛に限ったことではない。すべての願いに言えることである。

あなたは「あきらめ」と「祈り」は相反するように感じるかもしれないが、これらは同じ世界の上に存在する、ある性質の裏表である。

あなたが恋愛の技術を習得し、男心を理解し、祈りによって欲しい男性が手に入り、関係を維持できるようになったとする。

実はそのときこそ、

「すべてが手に入るわけではない」

「出会った人は必ず別れる」

「すべてのことは一時的で次々と変化していく」

「手に入れたもので満足するものはない」

という四つのあきらめをより深く知ることになる。

そして、いつかあなたは、あきらめと祈りが同じ方向を向くことがあるという事実に気がつくだろう。そのとき、あなたは決して失敗することがなくなる。

縁を最大限に思い通りにできるのは、このときである。

ぐっどうぃる博士の推薦図書

❖『ベスト・パートナーになるために』
ジョン・グレイ著　大島渚訳
五六〇円（税込）　三笠書房（知的生きかた文庫）
女性の知らない男心がここに書かれている。お互いの関係がうまくいかないときや、男心がわからなくなったとき、この本は大きなヒントを与えてくれるだろう。

❖『ルールズ（THE RULES）―理想の男性と結婚するための35の法則』
エレン・ファイン、シェリー・シュナイダー著　田村明子訳
六〇〇円（税込）　KKベストセラーズ（ワニ文庫）
この本の内容は少し過激だが、駆け引きのスタイルを提案してくれる。駆け引きなどしたことのないあなたが、もし恋愛でまったくうまくいっていないのなら、これを読んでみてほしい。

❖『人を動かす』
デール・カーネギー著　山口博訳
一五七五円（税込）　創元社
これは男性の心ではなく、人間の心に働きかける本で、相手の心を動かすときにとても役立つ。現実世界で、童話「北風と太陽」の北風になっている女性が何と多いことか。この本を読めば、あなたは旅人の服を脱がす手段を手に入れられる。

❖『自分の小さな「箱」から脱出する方法』
アービンジャー・インスティチュート著
金森重樹監修　冨永星訳
一六八〇円（税込）　大和書房
なぜ、彼はあなたを理解してくれないのだろう？　これほどまで彼に優しさを伝えているのになぜ伝わらないのか？
彼があなたを理解してくれないとき、彼もあなたもある心理的なワナにかかっている。そのワナがどういうものかを教え、そこからどう逃れるかを教えてくれる。彼との人間関係をよくする上で、とてもお勧めな本である。

本書は、高陵社書店より刊行した『ぐっどうぃる博士の恋愛相談室　男が本当に考えていることを知る方法』を、王様文庫収録にあたり加筆・改筆・再編集のうえ、改題したものです。

男《おとこ》が「本当《ほんとう》に考《かんが》えていること」を知《し》る方法《ほうほう》

著者　ぐっどうぃる博士（ぐっどうぃるはかせ）

発行者　押鐘太陽

発行所　株式会社三笠書房

〒102-0072 東京都千代田区飯田橋3-3-1

電話　03-5226-5734（営業部）03-5226-5731（編集部）

http://www.mikasashobo.co.jp

印刷　誠宏印刷

製本　宮田製本

ISBN978-4-8379-6536-7 C0130

王様文庫

王様文庫

読むだけで運がよくなる77の方法

リチャード・カールソン【著】
浅見帆帆子【訳】

365日を〝ラッキー・デー〟に変える77の方法。朝2分でできる開運アクションから、人との「縁」をチャンスに変える言葉まで、「強運な私」に変わる〝奇跡〟を起こす1冊！
「〝こうだといいな〟を現実に変えてしまう本！」（浅見帆帆子）

小さなことにくよくよしない88の方法

リチャード・カールソン【著】
和田秀樹【訳】

「小さいことにくよくよするな！」シリーズは、24カ国で累計2600万部を突破した世界的ベストセラー。その中でも本書は精神科医、和田秀樹氏絶賛の〝超実用的な一冊〟！　職場でも家でもデートでも、心が乾いた時に〝即効で元気になれる〟と大評判！

読むだけで心がスーッと軽くなる44の方法

諸富祥彦

人気No.1心理カウンセラーが教える「上手な気持ちの整理術」。◎「幸福のキーワード」は、どんどん声に出す◎〝80%主義〟でストレスに強くなる◎「憧れの人」になりきってみる……など、気持ちをリフレッシュする「きっかけ」がたっぷり詰まっています！

K30144